D0199687

Margaret Trudeau

Couverture
- Photographie:
  PONO PRESSE/GAMMA
- Maquette de la page couverture
  CLAIRE DUTIN

Maquette intérieure
- Conception graphique
  GAÉTAN FORCILLO

DISTRIBUTEURS EXCLUSIFS:

- Pour le Canada
  AGENCE DE DISTRIBUTION POPULAIRE INC.,*
  955, rue Amherst, Montréal H2L 3K4, (514/523-1182)
  *Filiale du groupe Sogides Ltée
- Pour l'Europe (Belgique, France, Portugal, Suisse, Yougoslavie et pays de l'Est)
  OYEZ S.A. Muntstraat, 10 — 3000 Louvain, Belgique
  tél.: 016/220421 (3 lignes)
- Ventes aux libraires
  PARIS: 4, rue de Fleurus; tél.: 548 40 92
  BRUXELLES: 21, rue Defacqz; tél.: 538 69 73
- Pour tout autre pays
  DÉPARTEMENT INTERNATIONAL HACHETTE
  79, boul. Saint-Germain, Paris 6e, France; tél.: 325 22 11

Felicity Cochrane

Margaret Trudeau

LES ÉDITIONS DE L'HOMME *

CANADA: 955, rue Amherst, Montréal H2L 3K4
EUROPE: 21, rue Defacqz — 1050 Bruxelles, Belgique

* Filiale du groupe Sogides Ltée

Bibliothèque nationale du Québec
Dépôt légal — 4e trimestre 1978

ISBN-0-7759-0621-2

A ma mère,
A mes filles Nadia, Gayle et Glenda
Et à ma petite-fille Tania.

Remerciements

La presse populaire a accolé à Margaret Trudeau l'étiquette de "cinglée"; pour ma part, après presque un an d'entrevues et de recherches, je suis beaucoup plus portée à voir en elle une jeune femme profondément meurtrie qui a été utilisée à des fins politiques par un mari épris de pouvoir. Une femme qui, malgré ce qu'on en a dit, savait parfaitement garder ses lèvres closes sur certains sujets.

Pour la rédaction de ce livre, j'ai été amenée à faire des entrevues à Vancouver, Toronto, Ottawa, New York et Montréal, ce qui m'a permis de recueillir nombre d'anecdotes jusque-là inédites. Pour des raisons qui vont de soi, je ne révélerai pas certaines de mes sources; mais ces personnes savent l'aide inestimable qu'elles m'ont apportée et c'est à ces amis anonymes que je désire exprimer mes remerciements les plus sincères.

Je veux également remercier Roy Beamis pour ses suggestions et son appui lors de la préparation de cet ouvrage, de même que mes amis de Vancouver, ceux de l'université Simon-Fraser comme ceux du "Greater Vancouver Convention" et du "Visitors Bureau".

Je voudrais dire toute ma gratitude à ma fille Nadia, dont la critique et les commentaires constructifs m'ont été fort utiles, et à Dianna qui a accompli une tâche héroïque en tapant et retapant le manuscrit.

Merci à Bill Contardi qui a suivi ce livre du début à la fin et à Elaine Markson, mon merveilleux agent. Et enfin, merci, Dan, pour m'avoir, le premier, conseillé d'écrire ce livre.

Felicity Cochrane

Toronto, janvier 1978

Table des matières

"Je ne suis pas une rose
qu'un homme épingle
à sa boutonnière."

Margaret Trudeau

Chapitre 1

En dansant avec les Rolling Stones

C'était en mars 1977, le premier vendredi du mois. Pour Margaret Trudeau, l'épouse du Premier ministre du Canada, ce jour allait marquer le début d'une aventure tumultueuse qui durerait longtemps et qui ébranlerait les institutions politiques du pays jusque dans leurs fondements.

La *Mocambo,* une boîte de nuit située à la limite du quartier des couturiers dans Toronto, n'a strictement rien de commun avec le Centre national des Arts d'Ottawa où Margaret et son mari, Pierre, avaient l'habitude d'assister à des concerts. C'était pourtant là qu'elle se rendait en ce soir glacial de mars, dans une limousine noire conduite par un chauffeur. Et ce n'était pas l'affable Pierre Trudeau qui était assis à ses côtés sur la banquette arrière, mais "Sa Majesté satanique", Mick Jagger, le chanteur soliste des Rolling Stones.

Le lendemain, une avalanche de manchettes s'abattit sur les principaux journaux du monde entier et l'indignation gagna aussi bien son pays que le reste du globe.

Les commentaires n'étaient pas tous du même niveau; s'ils reflétaient un mécontentement mitigé parmi les média canadiens qui avaient déjà critiqué Margaret dans le passé, ils exhalaient une odeur de scandale dans les plus croustillantes des feuilles à sensation d'outre-mer. Indépendamment de l'attitude adoptée, tous les quotidiens, néanmoins, publièrent l'incident à la une et plusieurs ne lésinèrent pas sur les gros titres.

"Margaret Trudeau assiste à un spectacle des Rolling Stones", titra plutôt banalement le *Toronto Star*. "La femme du Premier ministre impliquée dans un scandale avec les Rolling Stones", affirma le *Daily Mirror*, de Londres. "La première dame du Canada, une j'm'en-foutiste", s'exclama, horrifié, le *Daily Express*. Le *New York Daily News* observa ironiquement: "Des pierres pour madame Trudeau", tandis que le *Daily Mail* lâchait: "Une idylle avec les Stones? Vous voulez rire." Seul le prestigieux *Figaro*, de Paris, refusa de donner dans les commérages. Il passa l'histoire comme une simple nouvelle dans ses pages intérieures.

Les journaux britanniques, dont beaucoup maintiennent leur tirage grâce aux scandales dont ils font leur pain quotidien, venaient de tomber sur une mine d'or. Ils écrivirent et réécrivirent l'histoire de la première dame du Canada qui se lançait aux trousses d'un groupe de rock anglais comme une adolescente à peine sortie de sa crise de puberté.

Comme tous les soirs de première, Michael Baird, copropriétaire du *Mocambo*, se sentit soulagé en voyant qu'on dirigeait vers la salle du premier étage les derniers des fans du groupe et que ceux-ci prenaient place aux tables. Il attendait avec impatience qu'on ait fini de vérifier pour la nième fois le système d'amplification réglé pour que le son ne dépasse pas un taux de décibels "en-deça du seuil de la douleur". Puis son attention se tourna vers l'équipement électronique sophistiqué que les Rolling Stones avaient installé dans son cabaret. Il y avait des consoles, des écouteurs, des haut-parleurs et des écrans spéciaux pour l'acoustique, au milieu de ce qui semblait être des milles et des milles de câbles électriques. Il y avait des micros pour les voix et d'autres pour les guitares électriques. Les soirs comme celui-là, Baird essayait de conserver son calme.

Mais ce ne serait pas si facile que ça parce qu'il venait tout juste d'apprendre que Margaret Trudeau serait dans la salle. Il n'avait pas la moindre idée de ce qui pouvait motiver sa venue et il n'était pas très certain que sa petite boîte sans prétention fût bien un endroit pour elle. Il se souvenait que, quelques semaines plus tôt, elle avait dîné à la Maison Blanche. Avec cette odeur de bière éventée qui collait aux murs, le *Mocambo* n'avait rien à voir avec ce genre d'opulence.

Le *Mocambo*, qui se trouve juste au sud du campus de l'Université de Toronto, se compose d'un long bar incurvé en bois, installé au rez-de-chaussée, et d'une grande salle, au premier étage, à laquelle on accède par un escalier à deux paliers et où se donnent les concerts de rock.

Même si Baird n'avait jamais rencontré la ravissante Margaret, il l'avait pourtant vue à la télévision et en photo. Il lui devint vite évident que, malgré la présence de nombreux détectives et officiers de police, elle serait, ce vendredi-là, incroyablement vulnérable et sans défense. Il décida de lui réserver une section tout près de la porte, dans la salle du haut.

Baird savait que les Stones avaient atterri à Toronto dans le plus grand secret et qu'ils logeaient au très chic *Hôtel Hilton Harbour Castle* qui domine le lac Ontario. Ils y avaient réservé vingt chambres, réparties sur deux étages. Avec leur imprésario Peter Rudge, ils s'étaient mis en quête d'un endroit qui pourrait leur convenir pour y enregistrer un nouvel album "en direct" et terminer celui qu'ils avaient commencé pendant une tournée en Europe, le printemps précédent.

Le groupe des Stones était né de leur besoin d'écrire, de jouer et de mettre au point leur propre type de musique.

Même s'ils n'ignoraient pas que Toronto possédait quelques-uns des studios les mieux équipés d'Amérique du Nord, ils ne voulaient pas enregistrer dans une ambiance aussi froide. Ils cherchaient plutôt une boîte qui respirait l'intimité et c'était ce que le *Mocambo* leur offrait, avec sa scène qui n'avait même pas six pieds de profondeur et son nombre limité de places. Ils conclurent donc une entente avec la direction qui accepta de fermer pendant une semaine pour leur permettre de répéter durant la journée.

Le plan original prévoyait que les Stones donneraient une représentation surprise avec April Wine, un groupe de Montréal qui grimpait en flèche, bien qu'il ne fît assurément pas partie de la même "ligue" que celui de Jagger. Ils avaient eu l'intention de se reposer le mercredi et de terminer l'enregistrement le jeudi. Mais ça, c'était avant l'arrestation, le dimanche précédent, de Keith Richards accusé de possession d'héroïne en fonction de l'article 4 de la loi canadienne sur les stupéfiants. Une deuxième accusation avait suivi immédiatement, toujours selon le même article, mais cette fois pour possession présumée avec intention de faire le trafic de la drogue. C'est là une charge très sérieuse qui peut entraîner une condamnation à perpétuité. La hantise du Canada à propos des drogues est bien connue et une forte proportion des prisonniers actuellement incarcérés le sont pour cette raison. En dépit des accusations et de la publicité négative qui en découla, Keith Richards participa aux deux concerts qui avaient été reportés au vendredi et au samedi.

La séance d'enregistrement avait été organisée en collaboration avec CHUM, la principale station radiophonique rock de Toronto, qui comptait environ un million six cent mille auditeurs parmi lesquels elle organisa un concours. Les fans du groupe furent invités à expliquer dans une lettre pourquoi ils aimeraient assister à un concert des Stones.

La station avait également entrepris une campagne publicitaire étalée sur deux ans et connue sous le nom des "Signes astraux de CHUM". Afin de se mieux faire connaître, elle faisait distribuer dans les centres commerciaux de la région métropolitaine de Toronto des macarons portant les douzes signes du zodiaque. Mais durant mars 1977, ceux-ci servirent à deux fins parce qu'on les utilisa pour choisir ceux qui assisteraient à un enregistrement en direct commandité par la station. Chaque fois qu'un dépisteur de CHUM repérait quelqu'un avec un insigne, il l'invitait au spectacle. Toutefois, les personnes ainsi sélectionnées croyaient qu'il n'y auraient qu'April Wine au programme.

Finalement, six cents auditeurs furent choisis, soit trois cents pour chacun des deux spectacles qui auraient lieu deux soirs de suite. Les "élus" se rassemblèrent devant la station radiophonique où les attendaient des autobus nolisés. Ce fut seulement à mi-chemin, en route vers l'avenue Spadina, que la direction du poste leur révéla la vérité. Ils allaient effectivement assister à un enregistrement en direct, mais avec la crème des vedettes du rock, les Rolling Stones. La nouvelle fut accueillie par un tonnerre d'applaudissements.

Les autobus laissèrent leurs passagers dans une ruelle, derrière le cabaret. Un solide cordon de sécurité était déjà en place. Il y avait des policiers partout: à côté des autobus, au pied de l'escalier et dans la grande salle. Comme le fit remarquer l'un des jeunes: "Y sont pire qu'des cancrelats, y en a dans tous les azimuts."

Margaret Trudeau arriva directement de l'*Hôtel Harbour Castle* avec Jagger et l'une de ses meilleures amies, Penny Royce. Plus tôt dans la journée, elle s'y était inscrite sous un faux nom et avait pris une suite, dix étages au-dessus de ceux attribués aux Rolling Stones.

C'était Penny, qui travaillait pour une compagnie cinématographique et connaissait les Stones, qui avait eu l'idée d'inviter Margaret, sans son mari, à l'enregistrement. Celle-ci n'avait pas semblé se formaliser du fait qu'il aurait lieu le soir de son sixième anniversaire de mariage.

A peine descendues de voiture, Margaret et Penny entrèrent dans la boîte de nuit et se mélangèrent à la foule, tandis que des fans se pressaient autour de Jagger pour obtenir son autographe. Les directeurs de l'établissement guidèrent Margaret et Penny jusqu'au premier étage où elles s'installèrent à l'une des cinq tables que Baird avait réservées à leur intention. Quelques têtes se tournèrent dans leur direction lorsqu'elles entrèrent, mais personne ne parut reconnaître Margaret. En fait, les jeunes ne s'attendaient nullement à voir parmi eux une jeune femme qui côtoyait les grands de ce monde. Peut-être, ce soir-là, Margaret voulait-elle, entre autres choses, prouver qu'elle était toujours capable de se mêler aux gens.

Judy Welch, directrice d'une agence torontoise de mannequins et qui avait déjà été élue Miss Toronto, accueillit Margaret à son arrivée. Après les présentations, cette dernière s'assit à la table la plus proche de l'entrée, au premier étage.

Parmi les invités qui l'accompagnaient, il y avait un avocat, un administrateur d'une compagnie de disques et un mannequin. Il y avait aussi un jeune homme bien habillé et aux cheveux noirs et courts: un détective du poste 15 de Toronto.

Inquiet à l'idée que Margaret puisse se faire bousculer par les plus exubérants des jeunes, il la pria poliment de changer de table. Habituée à se plier aux directives des services de sécurité, elle obéit sur-le-champ.

Le bourdonnement des voix et l'excitation ambiante avaient atteint une telle ampleur que, même assis à quelques pieds les uns des autres, les spectateurs étaient obligés de crier pour se comprendre. De ce fait, les conversations se réduisaient à l'essentiel. Les propriétaires de la boîte récupéraient maintenant le moindre pouce d'espace libre. La queue se prolongeait dans le foyer jusqu'au bas des escaliers. Comme les Rolling Stones paraissaient plus enclins à bavarder et à prendre un verre au rez-de-chaussée qu'à commencer le spectacle, il avait fallut retarder la séance d'enregistrement et, en attendant qu'elle ne débute, on faisait passer des bandes de Wayne Cochrane, propres à maintenir le jeune auditoire dans l'ambiance voulue.

Le *Toronto Sun* rapporta la scène suivante: "Quand Jagger apparut en haut des escaliers, ses fans se serrèrent autour de lui sans retenue. "C'est dingue, c'est complètement dingue", lâcha Jagger d'une voix traînante. Lorsque la foule devint trop dense, il fit demi-tour et descendit rejoindre le reste de la bande. Chaque fois que les spectateurs pensaient que le concert était sur le point de commencer, il tournait de nouveau les talons. Il répéta son petit manège à plusieurs reprises."

Les chasseurs d'autographes formaient aussi un cercle autour de la table de Margaret Trudeau, mais ce n'était pas à elle qu'ils réclamaient d'autographe. Leur attention était attirée par une jeune femme souple et mince dont la chevelure noire tombait sur les épaules. Bien qu'elle ne fût pas madame Jagger, mais un mannequin qui lui ressemblait, elle signait "Bianca", très gentiment.

Pour accentuer son côté agressivement suggestif, Jagger avait mis un T-shirt trop court qui découvrait son nombril et une bonne partie de son ventre. Une écharpe imprimée au motif de la bannière étoilée, un pantalon de velours côtelé brun et une ceinture cloutée complétaient son costume. On aurait dit que son pantalon avait été coupé tout spécialement pour souligner son postérieur et mouler ses organes génitaux. Pour sa part, Margaret était simplement vêtue d'une tunique et d'une écharpe en soie de Pierre Cardin, négligemment nouée autour du cou.

"Cela fait bizarre de jouer dans une boîte, déclara juste avant le spectacle le guitariste Ron Wood, la dernière recrue des Stones. Ça ne m'était pas arrivé depuis huit ou neuf ans." Pour les plus anciens comme Mike et Keith, il est probable que le *Mocambo,* avec l'atmosphère étouffante de sa salle du haut, ses abat-jour à franges en velours rouge et poussiéreux, ses tables rondes en formica, ses chaises recouvertes de vinyle rouge, leur rappelait leurs débuts dans des endroits comme le *Bricklayers'Arms,* à Soho, ou le *Wetherby Arms,* à Chelsea. Dans toutes ces boîtes, on retrouve le même laisser-aller, la même ambiance terreuse.

Tout à coup, Margaret quitta sa table et se dirigea vers la scène. Durant tout le spectacle, elle resta ainsi, assise aux pieds de Jagger. Les yeux brillants, se balançant doucement au rythme de la musique sensuelle, elle donnait l'impression d'être subjuguée par lui et de s'accrocher à ses basques comme à celles des autres musiciens avec l'insistance d'une nymphette insatiable. La musique semblait la plonger peu à peu dans un état extatique.

C'était la première fois que les Stones jouaient dans un cabaret depuis 1964 et, comme autrefois, l'hystérie s'empara de la foule savamment excitée par Jagger qui, comme une sauterelle, tortillait des hanches, faisait saillir son bassin et bondissait de tous côtés, bref, faisait tout ce qu'il fallait pour déclencher un orgasme collectif. Keith Richards buvait du Southern Comfort à même la bouteille et grattait sa guitare entre deux reniflements.

Manifestement, l'événement n'avait plus rien à voir avec une simple première dans une boîte ou avec l'enregistrement d'un nouvel album. C'était devenu quelque chose qui allait transformer de fond en comble la vie de l'une des plus ferventes admiratrices des Stones, Margaret Sinclair Trudeau, quelque chose qui allait avoir des répercussions un peu partout à travers le monde.

La décision de Margaret d'assister au concert n'avait pas été prise à la légère. Selon John Slinger, du *Sun,* le dernier-né des tabloïds torontois: "Elle et le Premier ministre étaient à couteaux tirés; ils se parlaient à peine et, le plus souvent, par l'entremise d'un tiers." Elle avait discuté de ses difficultés avec plusieurs des étudiants du collège Algonquin où elle suivait des cours de photographie.

Quelques jours plus tôt, alors qu'elle s'efforçait de décider si elle irait ou non au concert de rock, Margaret avait confié à Werner Reiboeck, son professeur de photo au collège communautaire Algonquin, à Ottawa: "Six ans, c'est amplement suffisant." Elle faisait probablement allusion à la fin imminente de son mariage avec le Premier ministre du Canada.

Margaret savait fort bien que la presse l'accablerait de reproches, mais cela n'avait rien de nouveau pour elle. Déjà, en de multiples occasions, celle-ci l'avait critiquée et désapprouvée. Cette publicité négative reposait en majeure partie sur le fait que Margaret avait agi de façon très peu conventionnelle lors de voyages officiels à l'étranger. Quand, pendant un dîner d'Etat offert par le président Carlos Andres Perez, du Venezuela, elle s'était levée pour chanter une chanson à son épouse, elle avait fait bien plus, cette fois-là, que de simplement violer l'étiquette. Toujours pendant cette tournée en Amérique latine, elle s'était adressée aux femmes des ministres mexicains en émaillant son allocution de slogans en faveur de la libération de la femme. Elle avait fumé en public des cigares que lui avait offerts Fidel Castro durant son séjour à Cuba. Plus près de nous, elle s'était présentée à un banquet officiel à la Maison Blanche, vêtue d'une robe d'après-midi qui lui arrivait à mi-mollets et avec une maille filée à son bas.

Selon la Presse Canadienne, quand une journaliste l'interrogea sur sa façon de s'habiller, elle répliqua avec un air de défi: "A dire vrai, ma chère, je m'en fiche complètement." Ce genre de réponse décontractée était typique de la jeune fille qui était passée à la vitesse de l'éclair de l'état d'enfant des fleurs à celui d'épouse d'un des chefs d'Etat les plus connus. Mais la presse huppée, au Canada et aux Etats-Unis, fut profondément scandalisée par son complet mépris pour l'étiquette vestimentaire, ses manières nonchalantes et ses écarts de langage. Ce qui lui valut de faire la une, une fois de plus.

Durant les mois qui avaient précédé le concert des Rolling Stones, elle se cachait de moins en moins pour montrer son mépris des obligations qui faisaient partie intégrante de sa vie d'épouse de Premier ministre. Elle laissa clairement entendre qu'elle avait horreur des gardes d'honneur, des salves de vingt et un coups de canon, des hymnes nationaux, des dîners d'Etat, des discours politiques assommants, des congrès du Parti libéral et, par-dessus tout, de la sempiternelle surveillance de la Gendarmerie royale du Canada. C'est peut-être dans cette irritation constante qu'il faut voir l'origine de son non-conformisme grandissant. Il est certain que le chef du protocole, à Washington, n'oubliera pas de si tôt la visite de Margaret.

Il ne fallut guère de temps pour que soient qualifiées de très peu orthodoxes, pour ne pas dire plus, ses relations avec les Rolling Stones et en particulier avec Keith Richards (accusé de possession de narcotiques et libéré sous caution). Et c'est précisément ce manquement à l'étiquette qui finit par donner naissance à un scandale encore plus grand que tous ceux dont nous avons déjà parlé.

Un peu avant que ne débute le concert des Stones, Judy Welch invita Margaret à la soirée qu'elle donnait le lendemain pour Peter Rudge, l'imprésario du groupe, à l'occasion de son trentième anniversaire. Margaret répondit: "Je tâcherai de venir." Même si l'invitation avait été formulée sur un ton d'apparente indifférence, elle savait combien Judy tenait à sa présence.

Les rumeurs allèrent bon train quand Margaret fit son apparition, le second soir, au milieu de la foule qui attendait devant le *Mocambo*. Les quotidiens du lendemain publièrent des photos montrant Ron Wood qui, la tête enveloppée dans une serviette, se glissait à côté de Margaret dans une limousine noire, après le concert. Charlie Watts parla d'elle comme de "l'une de nos bonnes femmes" et ajouta, plutôt sarcastique: "Je n'aimerais pas que ma femme traîne avec nous."

Tout en s'affairant aux préparatifs, Judy Welch avait conservé son optimisme tout au long des heures qui précédèrent la fête. Celle-ci constituait un important événement mondain et rien ne devait clocher. Dans le courant de la journée, un fleuriste du centre-ville avait livré les fleurs. Un spectateur aurait pu voir Judy prendre un gigantesque bouquet et l'installer sur une table du vestibule, sous un grand miroir. Elle estimait que le bouquet contrasterait agréablement avec la nuit froide de mars. Grâce à sa femme de ménage qui venait une fois par semaine, la maison brillait comme un sou neuf.

Son élégante robe du soir s'harmonisait parfaitement avec les lieux et, une vingtaine de minutes avant l'arrivée des premiers invités, Judy releva sa longue tunique blanche, s'agenouilla devant la cheminée au manteau de chêne sculpté et alluma les bûches qui étaient déjà préparées. Plus le temps filait et plus elle commençait à s'inquiéter. Que se passerait-il, se demandait-elle, si les Stones lui faisaient faux bond? Elle avait annoncé à tous ses amis qu'ils seraient là et, dans le cas contraire, elle risquait de perdre complètement la face. Et Margaret Trudeau? Viendrait-elle?

Les Stones arrivèrent tous ensemble. Jagger posa sans réticence pour les photographes, un bras passé autour de la taille de son hôtesse. Fait assez surprenant, la conversation ne porta pas sur les manchettes du matin qui parlaient toutes de la présence de Margaret au *Mocambo* et du fait qu'elle séjournait au même hôtel que les Stones. On discuta, au contraire, de questions bien plus importantes. L'atmosphère était loin d'être au beau fixe, surtout pour Peter Rudge. Après tout, les Stones était son gagne-pain et si Richard était reconnu coupable il y avait fort à parier que le groupe actuel venait de donner son dernier concert en public. Mais la plupart des autres invités, qui n'étaient pas associés aux musiciens, s'amusaient ferme tout en buvant de la Heineken ou un excellent champagne importé et fort coûteux.

"Je crois que je devrais me sentir passablement fière d'avoir réussi à rassembler tous les Stones sous un même toît et au même moment", dit Judy. Mais ses efforts pour persuader l'insaisissable Margaret de venir à sa fête s'étaient soldés par un échec. Contrairement à ce qu'affirmèrent journaux et magazines, celle-ci passa apparemment la soirée à lire des lettres, cloîtrée dans sa chambre d'hôtel.

Le lendemain, il y eut une petite réunion dans la suite des Rolling Stones, à l'*Hôtel Harbour Castle*. Margaret s'y rendit et, assise au bord du lit, elle regarda le match de hockey à la télévision tout en jouant avec le fils de Ron Wood, âgé de sept ans. Selon un invité, le petit garçon donnait l'impression de bien la connaître.

A partir de ce moment, on ne sait guère trop comment s'enchaînèrent les événements; néanmoins, quelque temps plus tard, Margaret refit surface à New York après l'une de ses désormais fameuses disparitions. A un journaliste britannique qui voulait savoir si elle avait eu une aventure avec Jagger, elle répondit péremptoirement: "Grands dieux, non. Après tout, je suis une femme mariée." Cette protestation d'innocence était d'une naïveté presque surprenante.

Quand on lui demanda par la suite s'il estimait convenable que madame Trudeau ait assisté au concert, son époux déclara: "Je ne suis pas de ceux qui condamnent par association, que ce soit en faisant des commentaires sur ce genre de question ou en collant deux histoires côte à côte ou sur la même page." Mais ni les démentis de Margaret ni les tentatives de réfutation émanant du bureau du Premier ministre ne purent mettre fin aux suppositions.

Margaret confia à un reporter du *Toronto Sun* qui l'interviewait: "Ecoutez, je suis une fan des Stones depuis le tout premier jour. Grâce à une amie de Toronto, j'ai été invitée à leurs deux concerts, le week-end dernier. Cela s'est réglé en deux jours. Mais toute l'histoire s'est limitée uniquement à ça. J'ai grandi avec la musique des Stones. Je l'adore."

Les média canadiens, dans une attitude d'autocensure, firent d'abord comme si rien ne s'était passé; ils ignorèrent complètement son escapade à New York. L'incident fit les manchettes à travers le monde, mais les reporters canadiens brillèrent par leur absence à New York. La presse se contenta de publier des extraits des entrevues que Margaret accorda au magazine *People* et à un bataillon de journalistes voraces, venus surtout de la rue Fleet, à Londres, et qui avaient traversé l'Atlantique pour obtenir une primeur. Même quand la nouvelle éclata, les journaux canadiens, ne lui accordèrent au maximum qu'un titre sur deux colonnes.

Les Canadiens ont la réputation de savoir rester calmes et réservés. Fut-ce là ce qui les retint de vouloir décrocher une primeur mondiale? Où serait-ce qu'ils étaient en train d'acquérir une conscience sociale? Ou encore la victoire électorale de René Lévesque, faisait-elle craindre que le pays ne soit déjà menacé d'éclatement et que, pour lui porter le coup fatal, il ne manquait rien d'autre qu'un retentissant scandale au 24 Sussex Drive, la résidence officielle du Premier ministre?

Finalement, un journaliste new-yorkais réussit à aborder Margaret et Yasmine Khan, la fille du défunt Ali Khan et de Rita Hayworth, chez qui la jeune femme habitait à New York; il montra à l'épouse fugitive un journal aux titres scabreux. "Je leur dis..., à tous ces journaux, répliqua-t-elle de façon on ne peut plus éloquente. Mon mari est au courant, ma secrétaire également... Je me conduis toujours correctement."

Un peu plus tard ce soir-là, Ron Wood les rejoignit, elle et Yasmine, au chic *Hôtel Plaza* pour prendre un verre. Puis on la vit courir les magasins de New York avec Muriel Hemingway (la petite-fille d'Ernest). Lorsque Peter Cooke, du réseau anglais de Radio-Canada, lui demanda si elle avait une liaison soit avec Jagger soit avec Wood, elle rétorqua: "Absolument pas." Radio-Canada, organisme gouvernemental, s'arrangea pour effacer cette question de l'enregistrement.

Comme l'expliqua un vieux militant du Parti libéral: "Quand on n'a que quarante et un pour cent des suffrages, nom d'un chien, on ne peut tout de même pas se permettre d'avoir l'épouse du Premier ministre qui se promène avec les Stones." Il faisait allusion au faible résultat obtenu par le Premier ministre et son parti lors d'un sondage effectué à l'échelle nationale pour connaître la position des partis. "Ce n'est sûrement pas Jagger qui en pâtit, ajouta-t-il, le seul qui est blessé, c'est Trudeau."

Du coup, la question était posée: est-ce que Margaret se servait de la presse pour humilier son mari?

Peut-être Trudeau s'était-il trompé sur le compte de Margaret. Il avait pu s'imaginer, à tort, qu'il avait épousé une femme jeune, donc soumise. Mais, tandis que leur union prenait de l'âge, ce fut lui qui, aux yeux de beaucoup, parut incapable d'admettre que Margaret était son épouse et non sa rivale.

Dès le début, le mariage de Pierre et de Margaret avait alimenté les rumeurs de divorce. Bien des gens pensaient qu'il ne durerait pas à cause de la grande différence d'âge. Et Margaret apporta elle-même de l'eau au moulin par ses déclarations intempestives à la presse et son refus de se plier aux conventions.

Margaret avait d'abord accepté le désir de Pierre de la tenir à l'écart de la vie publique, mais, à la longue, elle ne put supporter davantage de rester dans l'ombre de son époux mondialement connu. Finalement, son désir d'être personnellement célèbre fut l'un des principaux motifs qui la poussèrent à vouloir entreprendre une carrière de son côté, même si tout tend à prouver qu'au début de son mariage elle ne se reconnaissait pas un tel besoin.

Margaret a un tempérament sociable, chaleureux, et elle s'entend bien avec les hommes. Pierre a pu éprouver des réserves lorsque son épouse révéla au pays qu'elle ne voulait pas "être enfermée dans un rôle déterminé" en tant qu'épouse du Premier ministre. Il est possible qu'il ait pensé qu'en la laissant parcourir le monde toute seule (ce qui, de toute façon, n'est pas le type d'activité personnelle qu'on rencontre le plus souvent chez les femmes de chefs d'Etat!) elle aurait l'occasion de rencontrer bon nombre d'hommes intéressants. Et il y avait le risque très réel qu'elle le quitte pour un autre qui serait puissant, séduisant et, peut-être, de plusieurs années son cadet.

Pierre Trudeau est imbu d'un sens patriarcal de l'autorité qu'il a peut-être hérité de ses origines canadiennes-françaises et d'un milieu traditionnel où c'est toujours l'homme qui est le chef de famille. Peut-être, à cause de son statut de dirigeant du second plus grand pays du monde, d'un point de vue géographique (seule l'U.R.S.S. est plus vaste en superficie), a-t-il cru qu'on s'attendait à le voir jouer le rôle du patriarche qui fait la loi dans son foyer. Il se peut aussi qu'il se perçoive comme un homme d'Etat qui établit toutes les règles pour l'ensemble du Canada et veut, au même titre, être celui qui, chez lui, prend toutes les décisions importantes.

Cela pourrait se traduire par un besoin de tenir les rênes partout et en tout temps.

D'un autre côté, Margaret avait décidé d'envoyer promener les conventions et d'être elle-même. On l'a comparée à Jacqueline Kennedy Onassis à cause de son goût pour le vedettariat, son penchant pour la photographie et parce qu'elle a été mariée à un Premier ministre. Mais Margaret est le produit d'une autre génération, une enfant des fleurs qui a grandi au rythme de "l'acid-rock" et s'est nourrie des credos hippies. Et, depuis sa plus tendre enfance à Vancouver, elle a toujours été extrêmement individualiste.

Chapitre 2

Née pour être libre

Quatrième des cinq filles de James et Doris Sinclair, Margaret Joan Sinclair est née le 10 septembre 1948 à l'*Hôpital général* de Vancouver-Ouest.

Au moment de sa naissance, les grandes puissances se relevaient lentement de la Seconde Guerre mondiale — la pire de l'histoire de l'humanité. Les Etats-Unis étaient engagés dans la guerre froide et le conflit en Corée était sur le point d'éclater. C'était l'époque où la chasse aux sorcières contre les communistes battait son plein, où les romans ayant la guerre pour thème se révélaient tous des succès de librairie et où la vie des gens était encore dominée par les séquelles d'une conflagration mondiale dont on venait à peine de voir la fin. Les officiers d'aviation en uniforme bleu, tel le père de Margaret, étaient les vedettes de l'heure.

C'était également l'époque où, au Canada, la population espérait voir se réaliser la prédiction du Premier ministre, Sir Wilfrid Laurier: "Le vingtième siècle appartient au Canada."

James (Jimmy pour ses amis), le père de Margaret, était né à Banff, en Ecosse, et il était arrivé au Canada à l'âge de trois ans avec ses parents qui étaient tous deux professeurs. Peu après qu'ils se furent installés à Vancouver, son père fut nommé directeur de l'Ecole technique de cette ville. Même s'ils ne roulaient pas sur l'or, bien au contraire, les parents Sinclair firent en sorte que l'éducation et les livres aient la priorité dans leur foyer. Selon Jimmy, s'il n'était pas venu au Canada, il serait probablement devenu garçon de ferme.

Au lieu de ça, grâce à un travail acharné, il fut étudiant, professeur, politicien, ministre et directeur de compagnie. A quarante et un ans, il engendra une fille qui allait devenir l'une des femmes les plus célèbres du monde.

Vancouver, où les Sinclair avaient élu domicile, est une ville portuaire du sud-ouest de la Colombie-Britannique, érigée sur ce qu'on appelle maintenant "la porte du Pacifique". A l'origine, elle portait le nom de Granville et ne s'appelle Vancouver que depuis 1886. Sa population qui était de deux mille habitants au moment de sa fondation s'élève maintenant à plus d'un million de personnes. La rade longe le littoral sur une distance de quatre-vingt-seize milles et c'est un port d'escale où viennent mouiller des paquebots et des navires marchands battant pavillon de tous les pays.

C'est dans cette ville que, après avoir terminé son cours secondaire à quinze ans, Jimmy s'inscrivit à la faculté des Sciences appliquées de l'Université de la Colombie-Britannique. Sportif accompli, il fit partie des équipes de rugby et d'athlétisme. L'été, il travaillait comme mineur.

Après l'obtention de son diplôme en 1928, Jimmy se vit accorder une bourse de la Fondation Rhodes qui lui permit d'aller se perfectionner au collège Saint John, à Oxford; il devenait ainsi le premier élève-ingénieur de la province à se mériter l'honneur d'étudier à cette université du seizième siècle, célèbre pour ses liens avec l'archevêque Lavel et avec Inigo Jones qui fut le premier architecte anglais de la Renaissance.

A son retour d'Oxford, Jimmy enseigna d'abord à l'école secondaire de Vancouver-Ouest, puis il s'inscrivit à l'Université Princeton pour poursuivre des études en mathématiques supérieures et en physique. Quand il revint au Canada en 1931, la Dépression l'avait précédé et, incapable de trouver un emploi comme ingénieur, il opta de nouveau pour le professorat.

Ce fut à ce moment-là qu'il épousa l'une de ses élèves, Doris Kathleen Bernard, qui était, à son avis, "la plus jolie fille du cours de mathématiques" et qui avait douze ans de moins que lui. "Il dit toujours que c'est moi qui ai remporté le prix; j'étais bonne en math et j'ai eu droit au professeur", racontait Doris. Comme madame Sinclair détestait son prénom, son mari prit l'habitude de l'appeler Kathleen et pour ses amis les plus proches elle devint "Bubbles". Aujourd'hui, c'est une femme qui aborde la cinquantaine avec charme. Mince, les traits fins, elle est d'une beauté qui ne permet pas de douter que, dans sa jeunesse, elle fut aussi ravissante que sa fille Margaret.

Kathleen Sinclair a encore l'aspect d'une femme consciente de l'attrait qu'elle exerce sur les hommes et toutes ses amies, sans exception, parlent de son grand charme et de son assurance. Selon Alistair Fraser qui a travaillé chez les Sinclair, contrairement à son mari, elle a toujours eu horreur de la politique. Et, en dépit de la croyance solidement établie qui veut que Margaret ait été abreuvée de politique dès son plus jeune âge, on parlait rarement des affaires de l'Etat à la maison. Madame Sinclair estimait que cela dérangeait la paisible routine de son foyer.

Et elle aimait sa maison située à l'extrémité ouest de Vancouver, dans un quartier résidentiel très chic qui réunit les plus riches familles de la ville. Ce quartier relativement récent, rattaché à la ville en 1912 à titre de municipalité, fut d'abord un lieu de villégiature; mais grâce à ses centres commerciaux modernes, ses autoroutes et ses installations culturelles et récréatives, on peut maintenant y résider toute l'année.

Vancouver-Ouest est relié à la terre ferme par le fameux pont du Lion's Gate, construit dans les années 30. A cause de la proximité de l'océan et de la forêt, une bonne partie des habitants de la région ont quelque chose à voir, à un degré ou à un autre, avec l'industrie forestière, les mines, l'exportation des céréales ou la pêche. La maison des Sinclair qui donne à la fois sur des pics enneigés et sur le Pacifique, ainsi que sur l'anse de Burrard, peut être considérée comme une habitation à flanc de montagne.

Confortablement meublée, la résidence s'est garnie peu à peu des nombreux souvenirs de voyage que Jimmy a accumulé au fil des ans. Il possède, entre autres choses, un tapis de laine orné de tigres, d'éléphants et d'autres motifs, qui lui fut offert en Inde, et une lampe extraordinaire faite d'une vessie de chameau.

Dès la déclaration de la guerre, en 1939, Jimmy signa un engagement comme membre d'équipage dans l'Aviation royale canadienne. Quand il fut finalement mobilisé en 1940, il était trop vieux pour voler et fut donc versé dans l'administration. Ce fut cette même année qu'il se présenta aux élections fédérales dans la circonscription de Vancouver-Ouest dont il remporta le siège.

Afin qu'il pût participer aux sessions parlementaires, les Sinclair déménagèrent à Ottawa. Son premier geste fut d'appuyer le discours du Trône qui inaugure traditionnellement chaque Parlement. Ce n'est pas tellement à cause de l'éloquence de l'orateur que le discours de Jimmy a fait date, mais bien plutôt parce que celui-ci critiqua son propre parti pour sa suffisance. On ne sait pas grand chose du blâme qui lui fut infligé par le Premier ministre et ses collègues à la suite de sa sortie.

L'année suivante, il fut affecté outre-mer à l'escadrille de chasse numéro un, basée dans le sud de l'Angleterre. Promu au grade de commandant, il passa deux ans dans le désert de Libye. Puis il servit en Tunisie, à Malte et en Sicile. Au cours d'une permission, il put enfin faire la connaissance de sa fille aînée, Heather, qui avait alors vingt-trois mois.

C'était déjà une ravissante rouquine. Madame Sinclair vécut tout le temps de la guerre chez ses parents, sur la côte nord de Vancouver.

Une photographie de Jimmy Sinclair prise à cette époque par Karsh, photographe canadien de renommée internationale, nous montre un bel homme aux cheveux noirs et aux yeux bleus et perçants. La ressemblance est frappante entre l'homme de la photo et sa fille Margaret, telle qu'elle est aujourd'hui.

En 1949, peu de temps après la naissance de Margaret, comme toute sa famille s'était installée à Ottawa, James Sinclair se tourna pour de bon vers la politique. Kathleen était tellement accaparée par l'éducation de ses quatre filles qu'on la voyait rarement aux séances de la Chambre des communes. Elle a déjà déclaré, en faisant allusion aux épouses qui assument un rôle public: "Je n'ai jamais été une bonne épouse de politicien à cet égard." Des années plus tard, ces propos seraient repris par sa fille Margaret.

Une fois, madame Sinclair amena Heather, Janet et Rosalind (surnommée Lin) à la Chambre des communes où elles prirent place dans la galerie des visiteurs. Leur mère leur avait bien recommandé de se conduire comme si elles étaient à l'église. Pendant que James Sinclair s'adressait aux parlementaires, on entendit soudain la voix perçante de Lin: "Eh! mais c'est papa!"

Jimmy Sinclair s'interrompit aussitôt et on put voir et le Premier ministre Saint-Laurent et le chef de l'Opposition, George Drew, lever les yeux vers la galerie en fronçant les sourcils. Mais les autres membres trouvèrent la scène amusante et ils frappèrent du poing sur leurs bureaux dans un geste de bienvenue traditionnellement réservé aux personnalités.

La carrière politique de Jimmy Sinclair se poursuivait de façon brillante et il devint ministre; simultanément, il continuait de se faire des relations dans le monde des affaires, ce qui devait lui être fort utile par la suite. Aux Communes, il fut rapidement reconnu comme un orateur sagace, à la personnalité attachante et au sourire facile. En dépit de cela, il exprimait souvent des réserves sur le type de vie qu'il menait: "Ce sont les affaires ou la profession d'un homme qui en souffrent, et elles peuvent même cesser complètement s'il reste pendant trop d'années à Ottawa." Il était d'avis que "cette vie divisée qui ne permet de vivre que quatre mois par année avec les siens n'est vraiment pas l'idéal", et il aurait de beaucoup préféré pouvoir passer douze mois sur douze à Vancouver avec sa famille.

Durant un voyage qu'il fit en Union soviétique, en 1955, pour participer à une réunion de la Commission internationale sur la pêche à la baleine, il fut victime d'un sérieux accident à Petropavlousk, en Sibérie. Afin de pouvoir prendre quelques photos, il était grimpé sur un échafaudage dans une cale sèche et quand celui-ci s'effondra il tomba d'une hauteur de vingt et un pieds. Il passa un mois dans un hôpital soviétique avant d'être ramené au pays sur une civière, via Pékin et Hong-Kong.

En 1958, après sa défaite aux mains des conservateurs dirigés par John Diefenbaker, Jimmy Sinclair, qui ne manquait pas de ressources, s'apprêta à retourner dans le monde des affaires. Ce fut à ce moment-là qu'il apprécia toute la valeur de ses contacts politiques.

Mais ce qui enchanta Kathleen Sinclair, ce fut de pouvoir retourner vivre avec sa famille dans sa chère Colombie-Britannique. On a dit de cette province qu'elle est "une gigantesque réduction du Canada", et Vancouver, où les Sinclair habitaient la plupart du temps, est essentiellement le noyau de ce "mini-Canada". C'est la troisième ville du pays en importance (après Montréal et Toronto) et, incontestablement, la plus pittoresque avec les imposants pics couverts de neige qui dominent cette cité cosmopolite.

Margaret avait maintenant neuf ans et elle grandissait rapidement. "Elle était d'une grande beauté", se souvient un ami de la famille. Bientôt, elle commença à s'intéresser aux toilettes et aux garçons. Elle avait hérité de son père son intelligence et son énergie; par contre, il lui manquait sa ténacité qui lui aurait permis de mener à bien des entreprises de longue haleine.

A l'école, tout allait bien pour Margaret. Son professeur de mathématiques se souvint d'elle, plus tard, comme d'une bonne élève, très attirante et très populaire parmi ses camarades. "Ici, à Delbrook High, nous sommes très exigeants au niveau des résultats, et il n'a jamais fait de doute que Margaret irait à l'université. C'était un fait acquis."

Pendant ses études secondaires, madame Edwards, son professeur d'enseignement ménager, lui suggéra de devenir conseillère vestimentaire auprès des adolescents à la *Compagnie de la Baie d'Hudson,* ce que Margaret accepta. C'était son habileté comme couturière qui lui avait valu cette offre. Madame Edwards se rappelle qu'un jour où Margaret travaillait au magasin un homme s'approcha d'elle et admira sans réserve l'ensemble qu'elle portait. Margaret en fut très flattée parce qu'elle l'avait fait elle-même.

L'une de ses camarades de classe se souvient qu'elle parlait tout le temps des garçons. "Mais elle n'était pas du genre à flirter avec tout le monde. Quand elle sortait avec un garçon, elle s'en tenait là tant que les choses n'avaient pas évolué."

Margaret appartenait à une famille qui jouissait d'une large aisance et où on avait toujours associé argent et prestige social. Tout au long de son enfance et de son adolescence, elle avait été habituée à profiter de tout le luxe et de la sécurité que l'argent permet d'acquérir.

Dans l'annuaire de l'école secondaire qu'elle fréquentait, on peut lire qu'elle se proposait d'apprendre le français et de s'inscrire à un cours terminal en Suisse. Elle apprit effectivement le français quelques années plus tard, mais ce fut l'Université Simon-Fraser, à Vancouver, qui devint son "cours terminal".

Chapitre 3

Le ferment du radicalisme

Alors que l'Université Simon-Fraser n'était encore qu'un projet, le gouvernement de la Colombie-Britannique lança un concours parmi les architectes. Il fut remporté par le bureau Erickson et Massey qui présenta un projet linéaire, conçu pour s'intégrer au paysage du mont Burnaby au sommet duquel l'université devait être bâtie, soit à une altitude de mille deux cents pieds.

La construction de plusieurs des principaux bâtiments, comme celui des Sciences, la bibliothèque, le théâtre et le Mail, débuta au printemps de 1964 et fut terminée durant l'été suivant. L'exécution de cette première phase fut réalisée avec une telle rapidité que Simon-Fraser fut surnommée "l'université instantanée".

Erickson déclara qu'il avait été influencé par plusieurs styles. Il s'était inspiré à la fois des monastères, des palestres grecques et des temples boudhistes pour concevoir ce complexe ultramoderne qu'il décrivit en ces termes: "Il fait de l'université contemporaine une acropole adaptée à notre époque."

Cette acropole en béton, bâtie au coût de vingt millions de dollars à sept milles à l'est du centre de Vancouver, en un lieu qui offrait une vue magnifique sur la rivière Fraser, le port et l'anse de Burrard, accueillit ses premiers étudiants à l'automne de 1965; Margaret Sinclair était au nombre de ceux-ci.

L'université inaugura un système de sessions trimestrielles couvrant toute l'année et qui permettait aux étudiants de s'inscrire en septembre, en janvier ou en mai; en outre, ils étaient libres de participer à une, deux ou trois sessions par année. Une nouvelle méthode d'enseignement fut également mise de l'avant: la méthode conférences-travaux dirigés. Un cours type comportait deux conférences et un travail dirigé par semaine.

L'université se composait de trois grandes facultés: Etudes pluridisciplinaires, Sciences, Arts et Education. Margaret Sinclair, qui faisait partie du premier lot d'étudiants, s'inscrivit en 1965 en sciences politiques, en sociologie et en anthropologie, réunissant ainsi sur une base temporaire trois domaines quelque peu différents.

Les cours en théorie de la sociologie mettaient l'accent sur les principales écoles de pensée, sur les concepts et les théories sociales, ainsi que sur certains penseurs représentatifs comme Marx, Simmel, Max Weber, Durkheim, Malinowski et Radcliffe-Brown.

Le programme de sciences politiques incluait l'analyse politique, l'étude des types de scrutin et du comportement politique, le processus décisionnel, le sens du commandement et la communication.

L'arrivée de Margaret à l'université coïncida avec une période tumultueuse durant laquelle les étudiants, un peu partout dans le monde, remirent en question les valeurs et les méthodes traditionnelles. C'était l'époque du "plus jamais de bombes", des Beatles et des manifestations contre la guerre au Viet-Nam. Bien que sur une plus petite échelle que les institutions américaines, les universités canadiennes devinrent les foyers de la contestation étudiante, et la toute nouvelle Simon-Fraser prit la tête de cette agitation.

Même si les étudiants canadiens n'avaient pas de carte d'enrôlement à brûler ou d'injustices raciales à combattre, comme c'était le cas dans d'autres pays, il n'en reste pas moins que leurs études furent passablement perturbées par ces affrontements qui prirent la forme de révoltes et de congédiements de professeurs, tandis que les présidents et les conseils d'administration ne sachant plus où donner de la tête relevaient désormais de la norme.

Finalement, Simon-Fraser devint le premier établissement à se voir inscrit sur la liste noire de l'Association canadienne des professeurs d'université, à cause, surtout, des dix jours de crise et de confusion qui eurent lieu à la fin de l'automne. Ce que les étudiants considéraient comme l'absence de politique d'admission était à l'origine de la contestation. Leur colère éclata le 20 novembre 1965, alors qu'une partie d'entre eux occupèrent le bâtiment administratif, et atteignit son paroxysme trois jours plus tard, quand la direction fit appel à la Gendarmerie royale pour ramener l'ordre sur le campus. Sans que leur mécontentement se fût apaisé, la majorité des étudiants votèrent néanmoins contre la grève. On ignore si Margaret prit part au vote.

Le directeur du département de Sciences politiques, où Margaret s'était inscrite, était Tom Bottomore, un sociologue britannique de réputation internationale et un marxiste éminent connu pour ses convictions gauchistes. Mais on pouvait en dire autant de plusieurs autres professeurs. Un bon nombre venaient du campus de Berkeley de l'Université de Californie et de la "London School of Economics", d'autres avaient enseigné dans des universités britanniques contestataires.

Ce n'était un secret pour personne, parmi ceux qui se trouvaient à Simon-Fraser en 1965, que Margaret appartenait à un groupe de têtes chaudes qui réunissait peut-être cinq pour cent de la population étudiante et qui prônait la destruction du système. Considérés comme de centre-gauche, ils se qualifiaient eux-mêmes, et avec fierté, de radicaux. On y retrouvait des marxistes, des trotskistes et d'autres représentants des tendances inhérentes à la Nouvelle-Gauche.

Des années plus tard, le *Toronto Star* commenta l'engagement de Margaret: "Pour elle comme pour bien d'autres jeunes de la fin des années 60, l'université fut une époque de révolte contre les valeurs parentales, à la maison, et contre tout le système pourri, à l'école."

Entre autres revendications, les étudiants exigeaient de se voir reconnaître le droit de participer aux décisions, au même titre que le conseil d'administration et le corps professoral.

Margaret a raconté, à propos de cette époque: "Nous étudiions la révolution; et c'était bien de ça qu'il s'agissait." Elle se décrivit comme "une radicale posée. J'étais beaucoup plus intéressée par les aspects théorique et historique de la révolution que par l'action comme telle et des histoires du genre d'aller occuper le bureau du président. Ce fut, pour moi, extrêmement intéressant que de pouvoir approcher tous ces penseurs en même temps.

"Alors que je m'acharnais à dénigrer le système, je sentais en même temps que je vivais dans le passé, que j'étais encore conditionnée. Je me mis à envisager le monde, tout comme moi-même, sous un angle différent, à travers la littérature anglaise et William Blake qui, de tous ceux que j'ai étudiés à l'université, fut celui qui m'a le plus influencée parce qu'il considérait les choses dans une perspective totalement révolutionnaire. Je ne veux pas dire révolutionnaire au seul sens politique, mais bien plutôt qu'il posait sur tout un regard pur, généreux, spontané, aimant et vrai.

"C'était un grand mouvement qui se répandait partout — pour essayer d'amener les gens à désapprendre tout ce qu'on leur avait appris et les inciter à participer."

Chapitre 4

Le début d'un amour

En 1967, la famille Sinclair décida de passer les vacances de Noël au *Club Méditerranée* de l'île Mooréa, dans le Pacifique; ce séjour qui s'annonçait paisible devait, en fait, bouleverser la vie de tous ses membres. A cause de lui, l'attention du public se fixerait de nouveau sur Kathleen et Jimmy Sinclair, ce que ce dernier fuyait pourtant depuis 1958 alors qu'il avait quitté la politique après y avoir consacré dix-huit ans. Quant à leurs filles — Heather, Janet, Rosalind et Betsy —, il leur faudrait dorénavant vivre dans l'ombre de leur soeur Margaret, guettée par la célébrité.

Janet, qui travaillait à Edmonton comme préposée aux billets pour la compagnie *CP Air,* n'a pas du tout apprécié la situation: "Quand mes cavaliers ont commencé à me présenter comme la soeur de Margaret Trudeau, je les ai tous laissé tomber."

Mais que cela plût ou non à ses parents ou à ses soeurs, la gloire allait être désormais le lot de Margaret, simplement parce qu'elle avait eu la chance de rencontrer le ministre de la Justice de l'époque, Pierre Elliott Trudeau, qui avait, lui aussi, choisi ce paradis tahitien pour y passer les vacances de Noël. Il y était venu avec un problème à résoudre: poserait-il ou non sa candidature à la présidence du Parti libéral, lors du prochain congrès qui devait se tenir à Ottawa.

En dépit de son expérience politique relativement jeune (il ne siégeait au Parlement que depuis deux ans), Trudeau estimait que le temps était venu pour lui de viser la charge de chef du gouvernement, d'autant plus que le Premier ministre Pearson venait tout juste d'annoncer sa démission.

Ottawa et son cortège de neige et de glace semblaient à des années-lumières du *Club Méd* avec ses huttes au toit de chaume et sa plage, longue d'un mille, que baignait le soleil des tropiques. A cause de l'atmosphère décontractée et même de l'absence d'intimité qui y régnaient, le Club était l'endroit idéal pour renouer avec d'anciennes relations et pour se faire de nouveaux amis, en même temps qu'il offrait un cadre propice à la détente et à la réflexion.

Du fait de leur appartenance commune au Parti libéral, Pierre connaissait déjà Jimmy Sinclair et sa femme Kathleen. Dans cette lointaine île tropicale, il trouva en celui-ci un conseiller et un confident, du moins en matière de politique. Car Jimmy Sinclair, avec son clair regard bleu, sa chevelure noire et sa perspicacité, était passé à deux doigts de devenir Premier ministre du Canada. Comme la brillante carrière de son mari aurait fort bien pu connaître un tel aboutissement, on avait demandé à Kathleen ce qu'elle en pensait et elle avait reconnu: "Je ne l'ai jamais souhaité, mais cela aurait pu arriver, en effet."

Pierre trouva, en outre, celle qui deviendrait son épouse en la fille de Jimmy, qui avait dix-neuf ans et une chevelure aux reflets cuivrés. Il découvrit qu'avec Margaret il pouvait discuter des diverses philosophies politiques, quoiqu'elle eût des opinions infiniment plus à gauche que celles de son père. Au moment de leur rencontre, elle profitait de ces quelques jours de repos pour oublier ses études en sciences politiques à Simon-Fraser; elle connaissait à fond l'idéologie de

Marx et celle de Trotsky. Ses idées radicales étaient très proches des conceptions politiques que Pierre affichait au même âge. "Margaret s'était passablement enfoncée dans le gauchisme, mais Pierre l'a ramenée à la raison", remarqua son père, quelque temps après.

Durant ces dix jours de vacances, Pierre joua davantage le rôle d'un oncle affectueux que celui d'un amoureux passionné. Il semblait aimer avoir constamment auprès de lui trois des filles Sinclair et il passait ses journées à leur enseigner les rudiments de la plongée sous-marine et du ski nautique.

Des années plus tard, il devait se souvenir de la première impression que lui avait faite Margaret: "J'ai pensé qu'elle avait des yeux d'une beauté extraordinaire."

Bien entendu, ce bref séjour dans ce paradis des tropiques toucha à sa fin à la fois pour Pierre et pour la famille Sinclair. Ils regagnèrent ensemble Papeete par bateau, puis se quittèrent pour des destinations différentes: Margaret retournait s'imprégner un peu plus des philosophies de gauche au sommet du mont Burnaby et Pierre rentrait à Ottawa pour se lancer dans une campagne dont l'issue pourrait faire de lui le Premier ministre de son pays.

Leurs routes restèrent plusieurs mois sans se croiser, jusqu'à un certain dimanche soir où Pierre, qui parcourait la Colombie-Britannique pour se gagner l'appui des délégués, se retrouva devant la salle de bal du très digne *Hôtel Vancouver,* dans la ville du même nom.

Margaret était là, parmi un groupe de jeunes partisans qui attendaient son arrivée. "Tu crois qu'il se souviendra de moi? Qu'est-ce que tu en penses?" demanda-t-elle, toute excitée, à une amie.

Quand Pierre fit son entrée, elle s'arrangea pour être doublement certaine qu'il se rappelait d'elle en lui collant un baiser sur chaque joue, ce qui eut pour effet de lui rafraîchir la mémoire. Néanmoins, ils allaient rester encore un an sans se rencontrer.

Par son geste, Margaret venait de lancer une mode. Durant toute la campagne, Pierre embrassa de jolies filles, ce qui devint en quelque sorte sa marque distinctive et fut le début de la "trudeaumanie", laquelle s'étendit à tout le pays et lui valut de remporter l'élection avec une imposante majorité.

Au cours des mois qui suivirent, la "radicale posée" céda la place à une rebelle irréductible. Tout de suite après l'obtention de son baccalauréat spécialisé, l'année suivante, Margaret envoya promener l'autorité parentale et s'envola vers l'Europe et le Maroc avec l'intention d'y mener un style de vie conforme à la mentalité hippie qui faisait alors tache d'huile.

Un jour, alors qu'elle parlait de son affranchissement de la tutelle paternelle, Margaret resta à peu près muette sur son séjour au Maroc, se contentant de dire, entre autres choses: "Je me souviens d'un matin où j'étais assise sur une plage, aux environs de six heures; à cette époque, j'étais complètement seule, je ne connaissais personne. Je n'avais pas d'amis, même si j'avais remarqué qu'il y avait beaucoup de jeunes dans le coin. Et c'était une impression extraordinaire que de me sentir, pour la première fois de ma vie, absolument libre. Personne ne savait où j'étais. Ma famille savait que je me trouvais au Maroc, mais ignorait où exactement."

Il valait peut-être mieux, en effet, qu'ils n'en sachent rien parce que, à ce moment-là, elle ne séjournait pas au *Hilton*, mais dans une chambre d'hôtel à soixante sous par jour. Tournant le dos à ce qu'elle considérait comme des conventions démodées, elle avait abandonné les amis avec qui elle avait quitté Vancouver et s'était mise en route toute seule.

Cette expérience fut pour elle "un voyage magique" et lui permit de découvrir un trait de caractère du peuple marocain: "Ils ont la plus grande capacité d'aimer les étrangers que j'aie jamais vue." A son avis, "nous sommes beaucoup trop emplis de crainte pour pouvoir réellement avoir confiance les uns dans les autres, à la façon des Marocains. Leurs valeurs sont clairement définies."

Elle fut conquise par ce pays de légende avec ses mosquées, ses palais, ses nomades berbères, son fer forgé à l'orientale, ses mosaïques et ses patios.

Il existe un proverbe arabe qui dit: "L'Algérie est un homme, la Tunisie une femme et le Maroc un lion." Rien n'est plus vrai quand on songe à ses chaînes de montagnes inhospitalières et à son climat diversifié.

Peu après son retour du Maroc, Margaret qui s'était disputée avec ses parents alla s'installer chez sa grand-mère maternelle qui habitait près de Burnaby, au bord de la mer. Elle passait beaucoup de temps, perdue dans ses pensées, à observer le mouvement de la marée et s'enfermait dans sa chambre, des heures durant, pour y rêver.

Un jour, Margaret reçut un appel de sa mère: Pierre avait téléphoné pour l'inviter à dîner. Peu enthousiaste à l'idée de le rencontrer de nouveau, elle chercha une échappatoire en prétextant qu'elle n'avait rien à se mettre, ce qui, du reste, était vrai. Le problème fut quand même résolu et ils dînèrent dans un restaurant de Vancouver-Nord. Pierre portait un pantalon de toile, une chemise jaune et un foulard assorti.

Ce fut le début d'une longue série de rendez-vous clandestins, qui allait se poursuivre pendant les deux prochaines années. Margaret travaillait à Ottawa pour le gouvernement fédéral, plus précisément pour le ministère de la Main-d'Oeuvre et de l'Immigration. Elle étudiait la situation du chômage au niveau national, recherche qui, à l'époque, en était encore au stade embryonnaire.

Ils se rencontrèrent à de multiples reprises. Margaret partageait un appartement avec Julia Beatty dont le frère est maintenant attaché au bureau du Premier ministre et qui épousa un jeune député conservateur. Elle et Margaret étaient d'anciennes camarades d'école.

Pierre et Margaret continuèrent de se voir et, ce faisant, mystifièrent complètement les journalistes qui s'obstinaient à chercher anguille sous roche chaque fois que le Premier ministre se montrait en public avec d'autres femmes.

Quand les mauvaises langues d'Ottawa commencèrent à faire des gorges chaudes parce que Margaret était à l'emploi du gouvernement et sortait avec Pierre, elle démissionna et repartit pour Vancouver où elle passa les six mois qui précédèrent son mariage. Elle en profita pour apprendre le français, adhérer à l'Eglise catholique romaine en prévision de son futur mariage avec Pierre Trudeau, un catholique fervent, dessiner sa robe de mariée inspirée de la djellaba marocaine et préparer elle-même son gâteau de noces, en jouant à la jeune fille bien ordinaire.

Chapitre 5

Joe Trudeau

Si le Premier ministre du Canada et le chef de la loyale Opposition de Sa Majesté, qui se font face à la Chambre des communes, avaient porté le même prénom, cela aurait pu porter à confusion. Mais Joe Trudeau avait cessé d'utiliser ses deux premiers prénoms bien avant la naissance de Joe Clark, le chef de l'Opposition, aussi le problème ne s'est-il pas posé. De toute façon, Pierre semblait un prénom fait pour aller avec Trudeau et, ainsi qu'il en est toujours avec la perfection, il s'imposa.

Joseph Philippe Pierre Yves Elliott Trudeau est né à Montréal, au Québec, le 18 octobre 1919, de Charles-Emile et de Grace Elliott Trudeau. Celle-ci descendait en ligne droite d'une famille loyaliste qui avait quitté le Royaume-Uni pour New York à l'époque de la révolution américaine. Sa mère mourut quand elle avait neuf ans et son père, un aubergiste qui, par la suite, vécut grassement de ses rentes, laissa les bonnes et les pensionnats se charger de son éducation...

Elle épousa un Canadien français, Charles-Emile, ou "Charlie" comme le surnommaient ses amis francophones. Ce dernier ne tarda pas à faire fortune grâce à "l'Association des propriétaires d'automobile". Pour dix dollars par mois, les membres recevaient des cartes routières, pouvaient se faire remorquer gratuitement et avaient droit à une réduction quand ils faisaient graisser leurs voitures aux stations-service de Trudeau. Au bout de dix ans, il se retrouva à la tête de quinze mille adhérents et de trente stations-service. Il finit par les vendre à Imperial Oil pour une somme bien supérieure à un million de dollars. Grâce à des placements judicieux, ses avoirs se montèrent bientôt à quelque seize millions de dollars.

De ce fait, Pierre disposait d'une fortune beaucoup plus considérable que Margaret qui appartenait à la bourgeoisie aisée. Bien des gens s'imaginent à tort que la famille de Margaret Sinclair était extrêmement riche. Ce qui est sûr, c'est que son père, un ancien ministre, gagnait dix-sept mille dollars, traitement qui incluait une allocation d'automobile, au moment où il fut battu. Plus tard, il siégea au conseil d'administration de plusieurs compagnies, mais il n'était pas question pour autant de le placer au même niveau que les grandes fortunes nationales, comme celles des Eaton, des McCutcheon, des Taylor ou même des Trudeau. De plus, il avait cinq filles à élever et à habiller.

Le père de Pierre était un joueur passionné qui n'hésitait pas à parier jusqu'à quinze mille dollars au poker, son jeu favori. Il pouvait facilement perdre ou gagner cette somme en une seule soirée.

Pierre avait une soeur aînée, Suzette, et un frère cadet, Charles. Les deux garçons ne se ressemblaient pas. Alors que Charles se montrait toujours très réfléchi, Pierre, lui, était d'un tempérament beaucoup plus expansif. Il est possible qu'il ait développé, dans une certaine mesure, un esprit entreprenant à la suite du décès prématuré de son père qui survint quand il avait quinze ans et demi et l'obligea à assumer le rôle de chef de famille.

Pierre a déjà raconté dans une entrevue filmée qu'il "cherchait toujours à avoir le dernier mot avec son père — qui avait transmis à ses enfants son amour de la vie".

Un ancien voisin a raconté comment se déroulait l'heure du thé chez les Trudeau, à Montréal. Il se souvient que madame Trudeau "siégeait derrière le service en argent, semblable à la reine Marie, le dos droit comme un I, très distinguée, très correcte, très anglaise". Pierre est le rejeton d'une mère dominatrice qui, très subtilement, menait au doigt et à l'oeil aussi bien son fils que son mari, pourtant un gros brasseur d'affaires. Pierre prétendait que sa mère était à l'opposé de son père, en ce sens qu'elle était timide en société et qu'elle aimait la tranquilité, la solitude et la musique.

Pierre fut élève à Jean-de-Brébeuf, un collège classique dirigé par les Jésuites, où il a laissé le souvenir d'un "élève brillant et chahuteur". Il s'y rendait et en revenait quotidiennement dans une limousine conduite par un chauffeur. C'est là qu'il apprit l'art des débats, dont il allait faire un ample usage des années plus tard.

Les Jésuites se révélèrent incapables de briser si peu que ce soit son orgueil de privilégié. Lui-même et ses amis étaient surnommés "les Snobs". Comme ses parents ne lui refusaient rien, il puisa dans la richesse et la puissance qui en découlait une assurance inébranlable.

A un moment donné, il fut temporairement renvoyé du collège pour ce qui fut qualifié avec tact de "motifs disciplinaires". Keith Spicer écrivit dans le *Globe and Mail:* "Un jour, on le soupçonnait d'avoir mis le feu à l'Union Jack; le lendemain, devant une classe outrée, il aplaudissait à la victoire des Anglais aux Plaines d'Abraham."

Nul ne semblait avoir moins d'aptitudes pour la politique que Pierre Trudeau. On l'aurait plutôt vu comme un universitaire. L'un des membres du Parti libéral remarqua sarcastiquement, un jour: "Il a encore l'allure d'un étudiant." Mais les études qu'il fit au Canada et à l'étranger furent les meilleures que l'argent pouvait offrir.

Il passa son baccalauréat à l'Université de Montréal, où il s'inscrivit ensuite en droit. Une fois diplômé, il fit ses premières armes avec la prestigieuse étude Hyde et Ahern. Admis au barreau en 1944, il partit faire sa maîtrise à Harvard, puis poursuivit ses études à l'Ecole des sciences politiques, à Paris, et, en 1947, à la "London School of Economics", bien connue pour sa philosophie et son enseignement de gauche. Il y eut comme professeur Harold Laski, un marxiste. Trudeau confia à Norman Depoe, du magazine *Weekend,* que Laski avait été "l'autorité la plus stimulante et la plus énergique que j'aie rencontrée". Il quitta l'université pour se consacrer à la rédaction de sa thèse de doctorat, mais, finalement, il ne l'écrivit jamais et partit plutôt faire le tour du monde en moto.

Depuis sa plus tendre enfance, il cherchait à attirer l'attention dans tout ce qu'il entreprenait, comme le tour du monde qu'il fit en Harley-Davidson en 1948 ou lorsqu'il pénétra en Allemagne avec de faux papiers ou qu'il entra en fraude en Hongrie, en Pologne et en Yougoslavie (d'où il fut expulsé). Toujours cette année-là, durant la guerre entre Israël et les Arabes qui contrôlaient Jérusalem, il fut arrêté dans cette ville parce qu'on l'avait pris pour un espion israélien. Il était à Shanghaï lorsque les communistes s'en emparèrent et il assista à des combats de rue à Rangoon, en Birmanie, qui était alors en proie à la guerre civile. Il traversa l'Indochine avec un convoi militaire et fut de nouveau arrêté comme il franchissait la frontière entre l'Inde et le Pakistan, juste après le partage. Il revint au Canada en 1949 et repartit en 1952, comme correspondant du *Devoir,* pour Moscou où se déroulait un congrès international d'économistes; en conséquence de quoi, il se retrouva sur la liste noire de Joe McCarthy.

Partageant en cela l'aversion commune à la majorité des Canadiens français peu désireux de se battre une fois de plus pour les Anglais, il refusa de partir pour le front quand éclata la Seconde Guerre mondiale. Il évita l'enrôlement en retournant à l'université et en devenant membre du Corps d'entraînement des officiers de réserve. Mais il trouva le moyen de s'en faire expulser pour "indiscipline".

Quoiqu'il eût travaillé trois semaines comme manoeuvre pendant l'été de 1948 — après avoir faussement indiqué sur le formulaire d'emploi qu'il était âgé de vingt-six ans, alors qu'il en avait vingt-huit —, il traîna une réputation de "sous-employé" parmi ses amis tout au long des années 50 et jusqu'au début de la décennie suivante. A ce moment-là, il devint l'un des fondateurs et directeurs de *Cité libre,* une revue mensuelle qui préconisait le renversement du gouvernement Duplessis et qui était étiquettée comme radicale-socialiste.

En 1963, il y publia un article intitulé L'*Abdication de l'esprit:* "...je devrais encore dénoncer l'autocratisme des structures libérales et l'extraordinaire couardise de ses membres. Je ne me souviens pas d'avoir vu, depuis que je regarde la politique, un spectacle plus dégradant que celui de tous ces Libéraux qui ont reviré capot à l'unisson avec leur chef, lorsqu'ils y ont vu une chance de prendre le pouvoir. (...) La tête du troupeau ayant indiqué la voie, la suite se déroula avec l'élégance du bétail qui se bouscule vers la mangeoire."

Il faisait allusion, évidemment, à la décision du Premier ministre Lester Pearson de laisser baser des missiles nucléaires américains en territoire canadien. Pourtant, malgré cette attaque venimeuse contre les Libéraux et bien qu'il fût un "socialiste dans l'âme", selon ses propres termes, il adhéra au parti deux ans plus tard. On lui donna une circonscription gagnée d'avance et c'est ainsi que débuta son ascension fulgurante vers le pouvoir politique.

Après son élection aux Communes, il fut nommé secrétaire parlementaire du Premier ministre qu'il avait, peu de temps auparavant, critiqué avec virulence. Puis, deux ans plus tard, il devint ministre de la Justice et, par le fait même, Solliciteur général du Canada, c'est-à-dire le représentant de la Couronne chargé de voir à l'application des lois.

L'une des premières initiatives de Pierre fut d'entreprendre la réforme du Code criminel, largement dépassé puisqu'il datait de 1890; c'est, du reste, un travail qui est loin d'être complété. En plus de modifier les lois relatives à l'homosexualité, il changea de fond en comble celles qui réglementaient le divorce, ce qui le catapulta, du jour au lendemain, au premier plan de l'actualité. Quelques mois plus tard, en avril 1968, au terme d'une chaude lutte qui connut son dénouement à Ottawa, il fut élu chef du Parti libéral.

C'est le Gouverneur général qui nomme le Premier ministre du Canada à la présidence du Conseil privé de la Reine. Le Premier ministre doit être le chef de l'un des principaux partis politiques, mais il n'a pas besoin de siéger déjà au Parlement. Par contre, il doit tâcher de se faire élire aux Communes le plus rapidement possible après avoir été porté à la direction de son parti.

C'est le Premier ministre qui choisit personnellement tous les membres de son cabinet, lequel est automatiquement dissous s'il démissionne. Cela peut se produire quand le gouvernement est battu à la suite d'une motion de censure présentée par l'Opposition officielle.

On attend du Premier ministre qu'il soit présent tous les après-midis dans l'enceinte des Communes quand la séance débute à quatorze heures par la période de questions pendant laquelle il lui faut répondre aux membres des partis d'opposition.

Mais cette responsabilité quotidienne n'a pas empêché Trudeau d'être accusé de passer par-dessus le Parlement et de manifester son mépris pour cette sacro-sainte institution en faisant des déclarations directement à la presse au lieu de les présenter d'abord à la Chambre.

Comme bon nombre de politiciens, il est séduit par le pouvoir. Après avoir étudié pendant seize ans, il lui a fallu attendre longtemps avant de pouvoir faire enfin acte d'autorité. Pierre est un homme aux humeurs changeantes; s'il peut parfois sembler d'une grande passivité, il n'en est pas moins extrêmement arrogant et quand on croise son regard, on peut voir ses yeux se fermer à demi et ses lèvres se pincer. Il perd facilement patience comme, par exemple, quand on l'interroge sur son refus de se battre pendant la Seconde Guerre mondiale. Il avait alors répliqué: "Comme à la plupart des Québécois, on m'avait appris à me tenir à l'écart des guerres impérialistes."

En février 1972, Gerald Baldwin, qui était le chef de l'Opposition aux Communes et appartenait au Parti conservateur, déclara: "Trudeau est un homme très coulant, rusé, évasif, qui, quand il arriva au pouvoir, affirmait qu'il voulait uniquement travailler pour le bien du pays. Nous commençons maintenant à découvrir qu'il est un César de peu d'envergure."

Juste avant le mariage de Pierre avec Margaret, Anthony Westell, correspondant du *Globe and Mail,* disait de lui: "Il s'est révélé le prototype du nouveau Canadien biculturel, parfait bilingue, à l'aise avec l'une et l'autre cultures, également dévoué au Québec et au Canada. Nous n'avons pas manqué de politiciens canadiens qui appartenaient à une culture et se contentaient de comprendre l'autre; mais ils ont été peu nombreux, si tant est qu'il y en ait eu, ceux qui ont su évolué avec autant de facilité au sein des deux."

On se souvient également de l'entrevue de Malcolm Muggeridge avec le reporter Robert Stall, du magazine *Weekend,* en 1974, où l'ancien rédacteur en chef de *Punch* déclara à propos de Trudeau: "Je ne sais pas comment l'histoire jugera Trudeau, mais c'est un homme absolument dépourvu de principes — au sens habituel du terme. Il estime que, dans un gouvernement moderne, il est superflu de faire quoi que ce soit et d'avoir des idées. Tout ce dont on a besoin, c'est de jouer un personnage qui accroche immédiatement."

Tel était l'homme que Margaret Trudeau allait épouser.

Chapitre 6

Une réputation de libertin

L'image projetée par Pierre Trudeau était celle d'un homme au style désinvolte, aussi bien dans sa façon de s'habiller que dans ses goûts, celle d'un *bon vivant**. Ce n'était pas la presse qui l'avait forgée, bien au contraire; elle était la propre création de Pierre et ses acolytes s'étaient chargés de la transmettre aux média. Trudeau prenait un plaisir tout particulier à cultiver sa réputation de libertin et, pendant les entrevues, c'était souvent lui qui abordait la question des femmes sans même attendre qu'on lui tende la perche.

Il se faisait un point d'honneur d'être vu et photographié en public avec des femmes séduisantes. Tout au long de sa première campagne électorale, il s'était laissé embrasser devant les caméras par des femmes de tous âges sans tenter le moindrement de les en dissuader. De là était née la "trudeaumanie", et il en mettait plein la vue à des milliers d'adolescentes avec ses baisers désormais célèbres.

---

* En français dans le texte.

Comme le déclara un parlementaire: "Si ça se bécotte quelque part, Trudeau est là." De toute évidence, il ne lui répugnait pas de se faire embrasser devant tout le monde, d'autant plus que ça lui permettait de faire mousser sa publicité.

Mais les retours de flamme étaient assez fréquents. Il est certain que Pierre fit un *faux pas** en sortant avec Eva Rittenhausen, une Allemande blonde, divorcée et âgée de trente-cinq ans. Il l'avait rencontrée à Londres, durant la Conférence du Commonwealth, en 1969. Celle-ci n'eut rien de plus pressé que de raconter sa soudaine idylle aux journaux, aux magazines, à la télévision, à qui voulait l'entendre. Elle parla de "coup de foudre" et annonça qu'ils avaient l'intention de se marier.

Pierre était furieux. Il déclara que quiconque dévoilait des détails de sa vie privée à la presse "ne fait pas partie de mes amis".

Le *Toronto Star* releva les commentaires de Trudeau à propos des média qui interrogeaient les femmes avec qui il sortait. "Le Premier ministre se plaint que les amies qu'il invite sont assaillies de coups de téléphone de la part des reporters à toute heure du jour et de la nuit; si la dame en question n'a rien à dire, elle a le droit qu'on la laisse tranquille. Mais si elle veut parler, il est ridicule de demander aux journalistes de faire la sourde oreille.

"M. Trudeau n'est pas de cet avis; il estime que la presse fait preuve d'indélicatesse même quand elle ne se manifeste qu'une seule fois.

"Cette attitude est caractéristique des politiciens. En ce qui a trait au droit à l'intimité, nous sommes entièrement d'accord avec la maxime de monsieur Trudeau selon laquelle la presse n'a pas plus le droit de fourrer son nez dans les chambres à coucher de l'Etat que l'Etat dans celle des citoyens.

---

* En français dans le texte.

"A notre avis, ce serait tout à fait de bonne guerre si la presse montrait autant de discrétion et de bon goût en parlant des amies du Premier ministre que lui-même en les choisissant.

"Nous espérons que cela ne changera en rien son style débonnaire qui nous convient, de même, semble-t-il, qu'à la plupart des Canadiens."

Les rumeurs allaient bon train: pourquoi un célibataire de cinquante-deux ans, fort acceptable, n'était-il pas encore marié; après tout, il était riche et, en tant que Premier ministre de la Couronne, on ne pouvait rêver de plus beau parti.

Peter Ward rapporta, dans le *Toronto Sun,* un débat intéressant qui s'était déroulé à la Chambre des communes: "Un reportage diffusé hier soir à Radio-Canada sur le mariage de deux homosexuels a déclenché la colère de l'Opposition et les railleries du parti en place.

"Le Premier ministre Trudeau suggéra que:

— Toute l'histoire n'est peut-être qu'une fable.

Bob Muir, des Conservateurs, estimait que les contribuables canadiens ne devraient pas avoir à financer un pareil programme, présenté à l'heure de pointe.

— Leur faudrait-il plus de temps? demanda Don Jamieson, devenu depuis secrétaire d'Etat aux Affaires extérieures.

— Pas mal, ça, Don, vous devez sûrement en savoir quelque chose, rétorqua Muir. A propos, le programme a-t-il été présenté comme un divertissement ou à des fins de propagande?

A ce moment-là, Bob Coates, un Conservateur bien connu de la Nouvelle-Ecosse qui venait d'être nommé président national du Parti progressiste-conservateur, fustigea le débat qu'il qualifia de vulgaire et de répugnant pour les Canadiens. Trudeau intervint:

— Nous avons voté une loi sur la question, où il était fait état d'adultes consentants agissant en privé. Je ne suis pas convaincu que la télévision aurait dû s'en mêler.

Puis le Premier ministre ajouta que Muir avait insulté Jamieson et devait retirer ses paroles pour avoir laissé entendre que le ministre des Transports pouvait connaître quelque chose en matière d'homosexualité.

— J'ai la plus haute considération pour le ministre, à tous égards, répondit Muir. D'autres ministres pourraient prendre exemple sur Jamieson pour ce qui est de la façon de se comporter. C'est un homme dans tous les sens du terme.

Et il conclut:

— Quant aux actes et aux propos du Premier ministre, je laisse la population canadienne en juger."

Madame Gérard Pelletier, épouse d'un des plus proches amis de Pierre, racontait que, quand celui-ci avait vingt-deux ans, il avait voulu épouser une jeune femme de Montréal. Peut-être faisait-elle allusion à Diane Giguère, une romancière qui connaissait Trudeau depuis l'âge de treize ans. Madame Pelletier se souvient que celle-ci avait rejeté la demande en mariage de Pierre; il est possible que ce refus ait changé sa vie.

La raison pour laquelle Pierre demeurait célibataire est toujours restée un mystère qui ouvrait la porte à toutes les suppositions. Néanmoins, on le voyait souvent avec des femmes comme, par exemple, Madeleine Gobeil, qui enseignait la littérature française à l'Université Carleton, à Ottawa. Amie de Simone de Beauvoir et de Jean-Paul Sartre, elle avait fait la connaissance de Trudeau pendant la campagne de Pearson. Parmi les autres femmes au sujet desquelles on ébaucha une idylle avec Pierre, il y eut Carole Guérin, de Montréal, Jennifer Rae, fille de l'ambassadeur du Canada au Mexique et, la plus célèbre de toutes, l'actrice Barbra Streisand.

La première fois que Trudeau avait rencontré Barbra, c'était à Londres, à la première de *Funny Girl*. Vers la fin de 1969, ils allèrent au théâtre et au cinéma ensemble, ainsi qu'à une fête d'artistes dans Manhattan. Quand on lui demanda depuis quand il connaissait Barbra, Trudeau répondit: "Depuis pas assez longtemps." Et lorsqu'elle vint de New

York pour assister à un gala au Centre national des arts à l'occasion du centenaire du Manitoba, tout le monde jugea que cela devenait sérieux.

Le lendemain, Barbra prit place dans la galerie des visiteurs, aux Communes, pour assister aux débats. Alors qu'il posait une question au Premier ministre, un parlementaire lâcha à la blague: "Si celui-ci peut détourner suffisamment longtemps son regard et son esprit de la galerie pour me répondre..." Mais la réplique ne vint pas.

Barbra revint à Ottawa et passa un week-end avec le Premier ministre; puis leurs rencontres s'espacèrent pour des raisons qui n'ont jamais été tirées au clair, quoique le *Saturday Night* ait eu l'audace de suggérer que la faute en revenait peut-être aux desserts servis à Sussex Drive. Après en avoir avalé une bouchée, Barbra aurait laissé tomber: "C'est du Sara Lee."

Jennifer Rae, une blonde statuesque, se retrouva également sur la liste des élues possibles, d'autant plus que son père appartenait au corps diplomatique. La première fois que Pierre l'invita, elle était attachée à son cabinet. Peu de temps après, elle passa au quartier général du Parti libéral. Mais elle non plus n'était pas destinée à partager la vie de Pierre parce que, en février 1969, elle épousa Chris Braden, le fils de Bernie Braden, une personnalité bien connue des téléspectateurs canadiens et britanniques; Chris travaillait au réseau de télévision d'Ottawa, en tant que cadre.

Durant la campagne pour la direction du parti, Pierre eut amplement l'occasion de rencontrer de séduisantes jeunes femmes, dont Gwen Clark, Merle Shain et Allison Gorden, qui travaillaient comme bénévoles dans son camp. Quelques-unes rédigeaient les communiqués ou dessinaient les vêtements que porteraient les meneurs de la claque; d'autres encore s'infiltraient chez les adversaires les plus menaçants et faisaient rapport à l'organisation Trudeau.

Charles Taylor, professeur à l'Université de Montréal, résuma d'un trait la nature des relations de Trudeau avant son mariage: "Pierre a toujours apprécié et soigneusement recherché un certain côté flamboyant, aussi bien dans le choix de ses vêtements que dans celui des blondes qu'il invitait."

Taylor ne s'est trompé que sur un point. C'est avec une beauté aux cheveux cuivrés que Trudeau s'est finalement marié.

Chapitre 7

Les cloches du mariage

Dans la matinée du 4 mars 1971, après avoir prévenu son bureau qu'il partait faire du ski, Pierre Elliott Trudeau quitta la capitale pour Vancouver à bord d'un avion à réaction des forces armées qui décolla de l'aéroport d'Uplands. La tempête de neige qui sévissait avait obligé *Air Canada* à annuler tous ses départs et arrivées à Ottawa. Dans l'avion, Trudeau enleva son complet de ville pour revêtir une jaquette et un pantalon rayé — une tenue que même "Trudeau le dandy" n'aurait pas portée pour faire du ski.

Mais Pierre n'avait nullement l'intention de se rendre jusqu'aux pentes du mont Whistler car sa véritable destination était la petite église catholique, presque inconnue, de St. Stephen, dans Vancouver-Nord.

L'objet de ses pensées, tandis que le Jetstar se posait doucement sur la piste, était Margaret Sinclair, âgée de vingt-deux ans, qui se trouvait chez ses parents dans l'élégant quartier de Vancouver-Ouest. Toute la famille y était réunie pour célébrer le soixantième anniversaire de l'arrivée au Canada de James Sinclair, après qu'il eut quitté son Ecosse natale. Outre les parents de Margaret, il y avait sa grand-mère et ses quatre soeurs: Heather, vingt-huit ans, dont le mari était instructeur adjoint de l'équipe de football de l'université Simon-Fraser; Janet, vingt-cinq ans, préposée aux billets, à l'emploi de *CP Air,* à Edmonton; Rosalind, vingt-trois ans, ex-reine de beauté à Simon-Fraser; et Betsy, dix-huit ans, qui travaillait à temps partiel comme hôtesse dans une boîte de nuit de Vancouver.

Les réunions de famille étaient monnaie courante chez les Sinclair et rien ne laissait croire que celle-ci se déroulerait autrement que les précédentes. De l'avis de ses soeurs, Margaret portait une toilette beaucoup trop élégante "pour l'occasion" et elle n'avait pu éviter leurs commentaires narquois. "Tu joues les excentriques", lui lança l'une d'elles en voyant la longue tunique blanche à capuchon que Margaret s'était faite à partir d'un patron de *Vogue.* Elles-mêmes s'étaient habillées simplement: robes courtes et ensembles pantalons.

Mais Margaret avait une bonne raison d'être "trop élégante". C'était le jour de son mariage et celui qu'elle épousait n'était nul autre que le Premier ministre de son pays.

A l'exception de ses parents, seule Rosalind avait été mise dans le secret parce qu'elle serait demoiselle d'honneur. Margaret aurait craint, semble-t-il, de voir l'une de ses trois autres soeurs vendre la mèche, par inadvertance ou autrement, ce qui aurait eu pour résultat de faire accourir les curieux à la petite église.

Aux yeux du public en général et de l'électorat en particulier, Pierre Trudeau représentait le meilleur parti de tout le pays et nul n'ignorait qu'il avait eu des relations avec un grand nombre de femmes intelligentes et, pour la plupart assez jeunes. Il comptait, parmi ses conquêtes, des professeurs d'université, des actrices et des fonctionnaires; la presse avait souvent tenté de deviner qui, de toutes ces beautés, deviendrait la première dame du Canada.

Néanmoins, elle avait oublié, on ne sait trop comment, de tenir compte de Margaret Sinclair, bien que cette dernière eût été photographiée en compagnie du Premier ministre à de multiples occasions. Peut-être à cause de son jeune âge estimait-on qu'elle n'était même pas sur les rangs. Et pourtant, c'était cette "belle prise" que Margaret allait rejoindre après avoir pris place aux côtés de son honorable père à l'arrière de la limousine étincelante. Elle tenait un simple bouquet de marguerites.

L'église catholique choisie n'avait rien de commun avec les cathédrales, abbayes et autres temples du culte où se célèbrent habituellement les mariages des chefs de gouvernement. Conçue à l'origine pour servir de salle paroissiale, le moins qu'on puisse en dire est qu'elle était austère. Comme ses bancs de chêne ne pouvaient accueillir qu'une trentaine de personnes, seuls les proches parents des fiancés avaient été invités à la cérémonie.

Si Margaret avait voulu se faire remarquer d'un océan à l'autre, elle n'aurait sûrement pas choisi cette petite église catholique au décor dépouillé. La seule chose qui ornait les murs de brique rouge était le chemin de croix, composé de quatorze petits vitraux carrés, d'une facture moderne. Suspendu au-dessus de l'autel aux lignes très simples, un grand crucifix avec un christ blanc dominait les fidèles.

Dans le silence de l'église, le père Swinkels entonna les prières liturgiques qui préludent à la cérémonie sacrée du mariage. Pierre et Margaret étaient agenouillés devant l'autel, immobiles, le visage dénué d'expression. Au moment de l'échange des voeux, la voix de Margaret était à peine audible.

La messe nuptiale dura quarante-cinq minutes et, dans les heures qui suivirent, Margaret Sinclair devint une célébrité nationale.

Interrogé quelque temps plus tôt sur d'éventuels projets matrimoniaux, Pierre avait répondu: "Je crois que je suis fondamentalement un type instable. Je ne me vois pas du tout casé."

Tout comme Pierre, ses futurs beaux-parents avaient dû se livrer à de nombreux subterfuges pour que le mariage demeure secret. Pour la dispense des bans, le père de Margaret s'était rendu à Squamish, une petite ville située à vingt-neuf milles de Vancouver, où le fonctionnaire était un ancien membre de la Gendarmerie royale et savait tenir sa langue. La famille avait attribué à Pierre Trudeau le pseudonyme de "Pierre Mercier" qui, dirent-ils au photographe, au fleuriste et aux autres fournisseurs, était un "Français". Même le père Swinkels, un Hollandais de quarante-deux ans, n'avait su la vérité que quatre jours avant la cérémonie, lorsque Margaret lui avait téléphoné pour régler les derniers détails et lui révéler la véritable identité de son fiancé. C'était lui qui l'avait initiée à la foi catholique et reçue au sein de l'Eglise juste trois semaines plus tôt.

La réception eut lieu au *Capilano Golf and Country Club,* au sommet du mont Grouse. Le menu se composait d'un potage à la tortue et de chateaubriants. Le gâteau de noces à trois étages était l'oeuvre de la mariée. Un pâtissier s'était chargé de le glacer, mais Margaret avait enlevé les décorations qui ne lui plaisaient pas.

Le lendemain, la nouvelle s'étala en première page; la jeune épouse de Pierre y était présentée comme une excellente maîtresse de maison, sérieuse, raffinée et sportive, en un mot "la parfaite épouse" — la nouvelle princesse canadienne. Mais dès son arrivée à Ottawa, Margaret fut perçue à la fois comme la femme du Premier ministre et comme une inconnue. L'époque où elle jouait les radicales à l'Université Simon-Fraser était désormais révolue.

La différence d'âge avait amené les parents de Margaret à exprimer des réserves à propos du mariage. Après tout, "Bubbles", sa mère, n'avait que deux ans *de moins* que Pierre. Quand elle et son mari avaient appris que leur fille, qui venait de s'installer à Ottawa, sortait avec Pierre, ils demandèrent au juge Douglas Abbott, ami intime de la famille Sinclair et père d'un des ministres du cabinet, d'essayer de lui faire changer d'avis. De toute évidence, ce dernier échoua dans sa mission.

▲ La famille de Jimmy Sinclair. Margaret est assise devant sa mère. (CP Picture Service — *Vancouver Province.*)

La classique photo de fin d'études, en 1965, Margaret est assise au centre. (Canada Wide Feature Service Ltd.)

Margaret âgée de seize ans lors d'un concours de charme. (Canada Wide Feature Service Ltd.)

Le mariage de Pierre E. Trudeau et de Margaret Sinclair le 4 mars 1971. (Canada Wide Feature Service Ltd.)

Pierre et Margaret Trudeau s'apprêtant à faire du ski. (Canada Wide Feature Service Ltd.)

Pierre et Margaret en visite à Leningrad en mai 1971. (Canada Wide Feature Service Ltd.)

En visite dans la capitale soviétique, Margaret et Pierre assistent, au théâtre Bolchoi de Moscou, à une représentation du célèbre ballet *Le lac des cygnes*. Dans la loge officielle, de gauche à droite: Mme Furtseva, Mme Gvishiani, M. Pierre Trudeau, M. Alexei Kossyguine, Mme Trudeau et M. Polyanski. 22 mai 1971. (Keystone Press Agency Ltd.)

Margaret attendant les Kossyguine venant en visite officielle à Ottawa en octobre 1971. (Canada Wide Feature Service Ltd.)

Margaret et Pierre en visite à Cuba. (Keystone Press Agency Ltd.)

Margaret Trudeau à son arrivée à l'abbaye de Westminster à Londres le 1er juin 1973. (Canada Wide Feature Service Ltd.)

Margaret et Pierre Trudeau au moment des élections de l'automne 1972. (Canada Wide Feature Service Ltd.)

Margaret et Pierre en compagnie de Jean Marchand. Automne 1972. (Canada Wide Feature Service Ltd.)

Margaret Trudeau durant la campagne électorale en juin 1974. (Canada Wide Feature Service Ltd.)

Margaret Trudeau avec le candidat de Ste-Marie lors de la campagne de 1974. (Canada Wide Feature Service Ltd.)

Margaret durant la campagne de juin 1974. (Canada Wide Feature Service Ltd.)

Margaret pendant cette même campagne avec son mari. (Canada Wide Feature Service Ltd.)

La campagne électorale de juin 1974. Pierre est accompagné de Margaret. (Canada Wide Feature Service Ltd.)

Margaret, en voyage officiel à Paris avec son mari, visite le Salon des Impressionnistes en compagnie de Mme Giscard d'Estaing. Octobre 1974. (Keystone Press Agency Ltd.)

Mme Trudeau et Mme Giscard d'Estaing au Salon des Impressionnistes. Octobre 1974. (Keysone Press Agency Ltd.)

En septembre 1974, Margaret fut admise à l'Hôpital Royal Victoria, à Montréal. Elle s'adressa aux journalistes en compagnie de Pierre: "Je suis un traitement psychiatrique pour un grave stress émotionnel. J'espère que vous m'oublierez pendant un moment." (CP Picture Service — *Montreal Gazette*).

M. Trudeau et sa femme sont reçus à l'Hôtel de Ville de Paris par M. Milhoud, dent du Conseil de Paris. Octobre 1974. (Keystone Press Agency Ltd.)

Margaret, une fois de plus, participe à la vie publique de son mari. (Keystone Press Agency Ltd.)

Margaret, au début de son mariage, lors de son voyage en Chine avec Pierre. (Canada Wide Feature Service Ltd.)

Margaret au lancement du livre *Trudeau en direct,* aux Editions du Jour, en 1974. (Keystone Press Agency Ltd.)

Margaret et Pierre discutant avec M. Lester B. Pearson lors d'un match de hockey disputé à Montréal, en septembre 1972, entre l'URSS et le Canada. (Canada Wide Feature Service Ltd.)

Notre société admet assez bien l'union d'un homme avancé en âge comme Pierre et d'une jeune fille comme Margaret parce que le premier se trouve dans une position privilégiée. Aristote Onassis avait au moins trente-trois de plus que Jackie, Bing Crosby en avait trente de plus que Kathryn et entre Charlie Chaplin et Oona, la différence était de trente-six ans.

Bien entendu, Pierre se préoccupait beaucoup de la réaction de l'électorat à l'annonce de son mariage. Une fois le premier choc passé, celui-ci parut l'accepter sans difficulté — et eut même l'air séduit par le petit côté Cendrillon de l'événement.

Les média n'apprécièrent guère d'avoir été tenus à l'écart du secret, mais ils durent se rendre à l'évidence: tout ce que Pierre avait entrepris durant sa vie n'avait d'autre but que d'épater. Et son mariage ne faisait pas exception.

Pour sa part, Margaret voyait en Pierre quelqu'un capable de lui apporter tout ce à quoi elle avait pris goût auprès de ses camarades fortunés de Simon-Fraser. Elle pourrait désormais voyager dans le monde entier et rencontrer des gens intéressants. De plus, un homme plus âgé serait davantage enclin à une certaine forme d'indulgence et même de sympathie, ce qui est beaucoup plus que ce qu'un jeune est habituellement en mesure d'offrir. Et enfin, Pierre représentait pour Margaret une figure paternelle; elle s'était sentie profondément attirée par sa maturité.

Il existait des différences marquantes entre Pierre et Jimmy, le père de Margaret. Le premier était un objecteur de conscience, tandis que le second avait été décoré pour ses prouesses comme aviateur pendant la Seconde Guerre mondiale. Ils appartenaient également à des religions différentes: l'un était catholique et l'autre membre de l'Eglise presbytérienne d'Ecosse.

Il est possible que Margaret ait grandi avec un sentiment d'insécurité, même si elle a souvent semblé capable de maîtriser les situations comme lorsqu'elle voyagea pendant sept mois au Maroc où, vers la fin des années 60, la drogue et les révolutionnaires à bout de souffle faisaient partie du paysage.

Au cours d'une conférence de presse à Toronto, quelqu'un demanda au Premier ministre s'il avait déjà fumé de la marijuana; il répliqua aussitôt: "Au Canada ou à l'étranger? Ce que je fais hors du Canada et dans des pays où la chose est légale ne vous regarde pas. Un jour, ajouta-t-il, je vous raconterai mes voyages."

Depuis sa plus tendre enfance, Margaret tenait pour acquis qu'elle faisait partie des privilégiés et de l'élite. Aussi bien à l'école secondaire qu'à l'université, elle avait côtoyé les "gosses de riches" et les radicaux. L'un de ses cavaliers avait été George Eaton, dont la famille est propriétaire d'une chaîne de grands magasins. Son mari, le Premier ministre du Canada, possède une fortune évaluée à quelque sept millions de dollars et est l'un des hommes les plus puissants du pays.

Il est probable que beaucoup de ses amis aient vu dans son mariage l'ultime coup de maître d'une jeune aventurière. Margaret avait toujours fait preuve d'une volonté extrêmement forte en même temps que d'une étonnante perspicacité. Elle était également très intelligente et sa fragilité de petite fille la faisait aimer de tous au premier coup d'oeil. Il ne fait aucun doute qu'au moment de son mariage avec Pierre elle en était amoureuse d'une façon à la fois absolue et désarmante.

Walter Stewart, l'auteur de *Shrug** (un livre sur Trudeau), parlait de Pierre en ces termes: "Ses méthodes de travail sont vagues, il manque de nerf et son ego est démesuré. Il a toujours eu ce qu'il voulait et si, par hasard, il rencontre une résistance, il se contente de tourner les talons et d'opter pour autre chose."

Pierre a probablement épousé Margaret parce qu'une femme aussi jeune ne pouvait que stimuler son appétit de

---

* Titre faisant allusion à l'habitude qu'a Trudeau de hausser les épaules en parlant.

vivre. De plus, comme elle lui donnerait certainement des enfants, il pourrait enfin offrir cette image de chef de famille qui lui faisait si terriblement défaut. En dépit du dynamisme qu'il continuait d'afficher, la vieillesse lui faisait peur. Il pensait pouvoir partager avec Margaret son enthousiasme envers la vie. Et il est vrai que malgré l'énorme différence d'âge ils avaient beaucoup de points en commun.

La politique était ce qui comptait le plus pour Pierre, surtout depuis qu'il était devenu Premier ministre; il en allait de même pour Margaret à cause de son éducation et de ses fréquentations, même si elle déclara publiquement que le côté politique de leur relation ne l'intéressait en rien. Margaret était d'un naturel téméraire qui la poussait à vouloir tout essayer. Comme elle, Pierre avait roulé sa bosse quand il était dans la vingtaine. Et tous les deux aimaient faire du ski, de la raquette, des excursions et de la plongée sous-marine.

D'autre part, les dissemblances ne manquaient pas non plus. Avec ses seize années d'études, Pierre était un intellectuel et Margaret qui n'avait en tout et pour tout qu'un baccalauréat ne soutenait pas la comparaison. Elle avait une nature franche, mais très compliquée alors que Pierre avait la réputation d'être prétentieux et peu commode à vivre. Son éducation canadienne-française et catholique contrastait avec celle, beaucoup plus souple, de Margaret qui appartenait à l'Eglise presbytérienne.

Après leur lune de miel qu'ils passèrent dans le parc provincial Garibaldi, d'une superficie de quatre cent quatre-vingt mille acres, au milieu des pics enneigés, des lacs et des sentiers, ils rentrèrent à Ottawa. Margaret ne s'était pas encore rendu compte que la lune de miel était bel et bien finie. A peine installée au 24 Sussex Drive, elle fut propulsée, la tête la première, dans le rôle exigeant d'épouse de politicien.

Shirley Foley, journaliste au *Providence,* un quotidien de Vancouver, se trompait lourdement dans ses prévisions quand elle écrivit: "Il est peu probable que Margaret Trudeau entreprenne quoi que ce soit, sur les plans politique ou social, dont les répercussions pourraient secouer la capitale..." Durant les mois qui suivirent, la population canadienne, encouragée par les média, se livra à des élucubrations sans fin sur le genre de vie que Margaret pouvait mener derrière la clôture en fer forgé, récemment érigée, et à l'ombre de la Tour de la paix et de la colline parlementaire.

Chapitre 8

Le “Purdah”* de Sussex Drive

Margaret habitait maintenant la splendide maison de pierre grise, sise au 24 Sussex Drive, à Ottawa, et qui, des années auparavant, avait appartenu au sénateur Edwards, descendant d'une famille de marchands de bois de Bytown.

Perchée sur une falaise au bord de la rivière Ottawa et surplombant une crique où les Indiens et les explorateurs devaient faire du portage jusqu'à la rivière Rideau, la résidence offre une vue magnifique au nord comme à l'ouest où elle donne sur l'ambassade de France et les chutes Rideau. Presque invisible depuis la rue, elle est fermée au public. Ses pignons et ses murs de pierre grise conservent le souvenir de son premier propriétaire, un certain Joseph Merrill, l'un des

* Mot hindou désignant le système qui astreint à une vie retirée les femmes de haut rang.

rois locaux du commerce du bois, qui l'avait fait construire en 1867. En dépit de ses dimensions, elle était d'une architecture assez banale. En 1949, le gouvernement l'acheta de la famille Edwards pour la somme de cinq cent mille dollars puis la fit rénover complètement pour en faire la résidence officielle du chef de l'Etat.

La demeure comporte quatorze pièces, hautes de plafond, parmi lesquelles se trouvent les chambres réservées aux invités. Il y a également les appartements des domestiques. Les salons qui ouvraient sur la façade ont été réaménagés à l'arrière de la maison pour permettre de profiter de la perspective extraordinaire qu'on a, par les quatre grande baies vitrées, sur la rivière Ottawa et les collines de la Gatineau qui se dessinent dans le lointain. La salle à manger permet de donner des dîners de gala pour vingt-quatre convives qui sont, le plus souvent, d'importants visiteurs étrangers.

A l'origine, les murs étaient tapissés d'un velours rouge foncé qui faisait ressortir les boiseries ivoire; les autres pièces étaient d'une teinte gris-vert. Une impression d'élégance et de grandeur rappelant l'époque des rois George se dégage du mobilier d'époque — Sheraton et Hepplewhite — qui orne les pièces du rez-de-chaussée. Cette atmosphère de splendeur persiste encore aujourd'hui, en dépit des nombreux changements et de l'apparence extérieure de la maison qui rappelle les manoirs de la campagne anglaise.

Le ministère des Travaux publics est responsable de l'aménagement, du chauffage et de l'entretien des bâtiments, et engage les jardiniers. Le gouvernement verse les salaires d'un maître d'hôtel ou d'un intendant ainsi que des autres domestiques et du chauffeur. Près de l'entrée est, un grand garage abrite les voitures du Premier ministre qui ont fait couler beaucoup d'encre.

Au début, les Trudeau possédaient seulement une Cadillac noire 1973, mais, deux ans plus tard, bien que l'odomètre n'indiquât que 19 390 milles, ils firent l'acquisition d'une seconde voiture. Le bruit courut que Margaret n'aimait pas la couleur de la première; toutefois, dans une réponse écrite à une série de questions sur les limousines déposée à la Chambre par Tom Cossitt, député de Leads, le président du Conseil privé opposa un démenti, précisant que "rien ne permettait de croire que la couleur de la Cadillac 1973 ait déplu au Premier ministre ou à sa famille".

En dépit de cette affirmation, la seconde voiture fut peinte tout spécialement d'une couleur argent "Georgian numéro 13" pour la somme, prélevée sur les taxes des contribuables, de $83 503,94, laquelle incluait cependant un équipement de sécurité d'une valeur de $70 117,60. Le véhicule est, en effet, à l'épreuve des balles et des bombes.

Des membres de la Gendarmerie royale montent la garde en permanence devant l'entrée principale et les portes de Sussex Drive. Pour cette protection, le Premier ministre verse annuellement cinq mille dollars au Receveur général du Canada, ce qui est vraiment une aubaine au cours d'aujourd'hui.

Le Premier ministre facture également le gouvernement pour ses "fournitures". Personne ne sait vraiment ce que le terme recouvre, mais il en coûte passablement cher aux contribuables canadiens. Pour l'année 1973-1974, le montant de ces "fournitures" s'est élevé à $89 196,53.

Il ne fait aucun doute que les Trudeau aiment vivre sur un grand pied. A un moment donné, il fut décidé de doter la propriété d'une piscine; un membre de l'entourage du Premier ministre obtint d'un groupe de riches donateurs (à la tête duquel se trouvait un dentiste torontois bien connu) qu'ils donnent une somme de deux cent mille dollars pour participer à la construction d'une piscine et d'un sauna. Comme leur identité fut tenue secrète, cela souleva un tollé général, aussi bien au Parlement que dans la presse. Stanley Knowles, doyen des députés du Nouveau Parti démocratique déclara: "La population a le droit de savoir qui sont ces donateurs et s'il n'y a pas risque de voir surgir des conflits d'intérêts."

Le *Globe and Mail* publia un éditiorial où l'on pouvait lire ce qui suit: "Aucun être raisonnable ne songerait à refuser au chef du gouvernement une piscine qui lui permettrait de conserver son équilibre et sa sérénité. Non, aucune personne raisonnable ne pourrait s'opposer à ce besoin. Tout ce que nous demandons, c'est l'assurance que la population canadienne n'aura pas à payer de façon détournée pour une piscine qu'elle aurait peut-être préféré financer directement à même ses taxes. Si monsieur Trudeau n'a pas trop la tête aux festivités lorsqu'il reviendra d'Helsinki (allusion à la visite officielle qu'il effectuait en Finlande au même moment), nous nous contenterions de le voir rendre publique la liste des donateurs." Mais ces noms n'ont jamais été dévoilés.

Les porte-parole du gouvernement déclarèrent que le Premier ministre regrettait d'avoir autorisé le creusage de la piscine, mais que, tout bien considéré, il s'agissait d'un cadeau dont profiteraient également ses successeurs.

La piscine des Trudeau a coûté trois ou quatre fois plus cher que celle qui fut construire pour le président Ford, à la Maison Blanche et qui, beaucoup plus modeste, reflétait bien les goûts d'un chef d'Etat au style moins flamboyant. Dans ce dernier cas, du reste, les dons ne pouvaient dépasser mille dollars et aucune contribution ne fut acceptée des entreprises ni des syndicats.

Les Trudeau pouvaient se rendre directement de leur résidence à la piscine intérieure aux murs lambrissés de cèdre et à la température contrôlée en empruntant un tunnel d'une longueur de cinquante pieds, tapissé d'une moquette. Un plongeoir est installé sous la faîtière en forme de A. La piscine atteint une profondeur de neuf pieds et demi à une extrémité et remonte à trois pieds à l'autre bout. Elle est recouverte de carreaux bleus et le parquet est en cèdre.

Juste à côté se trouve le sauna qui comporte deux grandes cabines, également en cèdre. Des panneaux coulissants dissimulent un "Electro-Maid", c'est-à-dire une cuisinière, un réfrigérateur et un évier combinés.

La bâtisse comporte également un vestiaire une douche et une salle de toilette, de même qu'un petit salon avec moquette et verrières qui donne sur les pelouses. Les appareils de contrôle pour la température de l'eau et l'électricité sont installés dans une pièce souterraine pour laquelle il a fallu creuser le roc à la dynamite.

Au bout d'environ deux ans, Margaret décida que le cèdre qui recouvrait les murs de la piscine ne lui plaisait pas. Elle voulait le remplacer par la pierre qui avait été utilisée pour la résidence, construite à la fin du siècle dernier. Or cette pierre provenait d'une carrière abandonnée depuis longtemps. Les Trudeau n'hésitèrent pas à envisager de la faire rouvrir et rééquiper, uniquement pour satisfaire un caprice de Margaret.

Un éditorialiste du *Lanark Era* critiqua Pierre vertement quand celui-ci eut l'audace de demander à la nation de consentir à des "restrictions personnelles": "Il s'offre, à même les deniers publics, un train de vie qui ferait pâlir de jalousie un maharadja: piscine, nombreuse domesticité, Cadillacs et voyages... Le docteur Trudeau nous presse d'avaler un quelconque remède de cheval pendant que lui-même se tape du champagne, dépense 180 000 dollars pour redécorer son bureau et 35 000 autres pour réunir son cabinet pendant une seule journée à sa résidence d'été. Des restrictions personnelles! L'ex-président Nixon avait dit vrai: "Ce trou-du-cul "de Trudeau, c'est vraiment un drôle de numéro."

Durant la première année de son mariage, Margaret ne disposait pas encore de cette piscine qui a provoqué tant de critiques. De toute façon, elle n'aurait guère eu l'occasion d'en profiter parce qu'elle avait abandonné toute activité sportive pendant sa grossesse. Elle était, en effet, devenue enceinte dès le premier mois.

Pierre tenait à cantonner sa femme dans un rôle subalterne, à l'intérieur de leur mariage. Cela fut particulièrement manifeste pendant les dix-huit premiers mois, alors qu'il lui imposa une retraite semblable à celle du "purdah". Elle n'accorda aucune entrevue, ne coupa aucun ruban, tourna le dos à la ronde des thés et cocktails. Les seuls politiciens et hommes d'affaires qu'elle était autorisée à rencontrer étaient ceux que son mari invitait chez lui pour leur présenter son “gros lot”, sa jeune et ravissante épouse. Mais même ces invitations, de l’avis de plusieurs, étaient peu fréquentes.

Quand on lui demanda, au cours d’une entrevue, à quoi ressemblait la vie au 24 Sussex Drive, Margaret répondit:

“Je n’étais absolument pas préparée à ça. Ça s’est avéré absolument catastrophique pour mon identité. J’avais passé les derniers six mois avant mon mariage à Vancouver, au milieu de ma famille et de mes amis avec qui j’entretenais des liens très, très étroits et, subitement, je me suis retrouvée dans un autre univers, vous savez, avec plein de domestiques. Et puis, d’abord, chez mes parents, nous n’avons jamais eu de serviteurs et je ne savais pas s’ils étaient mes amis ou bien... de toute façon, je n’allais sûrement pas me mettre à leur donner des ordres. Je suis beaucoup trop du genre enfant des fleurs pour ça, vous savez.

“Je voulais les servir au lieu de me faire servir par eux. Et c’était terrifiant... surtout ce soudain intérêt de la presse à mon égard. Je n’étais pas prête pour ça. Je n’y étais pas préparée. Je m’étais préparée à épouser Pierre Trudeau et non le Premier ministre, et vous savez qu’il n’est pas un Premier ministre ordinaire en ce sens que, je pense, ça ne l’intéresse pas vraiment d’être le Premier ministre. Le côté normal, le côté administratif, oui, mais il aime autant que moi porter des jeans, enfin ce genre de choses. C’est pourquoi il a été mon compagnon le plus proche et il m’a aidée à passer à travers. Mais c’était terrible.”

Margaret avait beaucoup de mal à imaginer l’atmosphère d’une pièce, une fois repeinte. Elle en fit voir de toutes les couleurs à son décorateur quand elle lui fit repeindre cinq fois le petit salon du premier étage avant d’être satisfaite de la teinte. Elle apporta également plusieurs transformations à la résidence, faisant agrandir certaines pièces et en supprimant d’autres; quant à la cuisine, elle la fit équiper des appareils les plus modernes.

Au cours de la première année de son mariage, Margaret accompagna Pierre en Union soviétique et assista aux banquets donnés en l’honneur de Kossyguine et de Tito. Les reporters et les photographes lui collaient aux talons depuis le jour même où elle était devenue madame Trudeau. Et même en voyage, elle était continuellement protégée par des gardes, des agents consulaires et les membres de la suite du Premier ministre.

Ses déplacements à l'intérieur du Canada, tout comme à l'étranger, s'effectuaient à bord d'un appareil de l'armée canadienne ou d'avions de lignes commerciales spécialement affrétés. A l'extérieur du pays, elle séjournait dans des palais, des résidences réservées aux personnalités ou dans les suites, étroitement surveillées, d'hôtels luxueux. Elle était ainsi maintenue à l'écart de la vie quotidienne et de la culture des habitants des pays qu'elle visitait.

Elle n'était mariée que depuis deux ans quand elle déclara: "J'ai l'impression en ce moment que Pierre et moi vivons dans une sorte de vacuum, dans une très jolie bulle, sauf en ce qui a trait à son travail. Nous sommes conscients que nous nous trouvons dans une situation particulière, mais j'envie mes amis qui peuvent se consacrer pleinement à faire de leur vie ce qu'ils veulent qu'elle soit.

"Toutes les futilités soi-disant séduisantes qui font partie intégrante de ce genre de vie ne correspondent pas à mon échelle des valeurs; aussi n'ont-elles rien à voir avec ce que je veux..." Ces "futilités séduisantes" n'incluaient pas une secrétaire pour Margaret qui, à l'époque, n'ayant personne pour y voir, devait s'occuper seule de toute la correspondance qu'elle recevait.

Peut-être, lorsqu'elle parlait de "futilités séduisantes", faisait-elle allusion aux élégants banquets donnés par le Gouverneur général, à sa résidence de Rideau Hall, en l'honneur de dignitaires comme le grand-duc Jean de Luxembourg et la grande-duchesse Joséphine-Charlotte. Ces dîners officiels, préparés par une équipe de onze personnes, réunissaient souvent une cinquantaine d'invités. En principe, Pierre et Margaret devaient assister à tous. Il est bien possible que l'enfant des fleurs de Vancouver se soit sentie écrasée par la vaisselle d'or étincelante, les candélabres ornés de guirlandes de fleurs et les fins cristaux.

On peut presque établir un parallèle entre l'organisation d'un dîner de cette importance et la mise en scène d'une opérette. Avant que celle-ci ne soit jouée, il faut décider de la distribution, choisir les premiers rôles et les autres *dramatis personae*. Et, le soir de la première, tout doit se dérouler avec le maximum de précision et de synchronisme pour éviter tout risque de voir la prima donna ou l'un des autres acteurs piquer une crise. Si on transpose tous ces préparatifs au niveau d'un banquet, cela veut dire que des chefs-d'oeuvre culinaires — comme le saumon à la parisienne, les poitrines de poulet marquise et les poires pochées garnies d'une mousse parfumée au kummel, le tout accompagné de grands crus et de champagne — doivent être apprêtés et servis avec un art qui fera oublier les heures et les heures de préparation qu'ils ont nécessitées.

Pour quelqu'un qui, comme Margaret, affirmait: "Je suis une adepte convaincue d'un mode d'alimentation sain et naturel", il est certain que ce type de menu devait paraître plutôt excessif.

Cette première année en fut une de profonde solitude pour Margaret. On pouvait la voir se promener avec son chien Farley, offert par son mari pour lui tenir compagnie. Elle prenait aussi des leçons de français — trois heures, chaque matin — et faisait des exercices de yoga ainsi qu'un peu de jardinage.

Elle eut également l'occasion de beaucoup voyager durant cette même période, mais toujours en compagnie de Pierre. Elle fit un séjour éclair dans les Caraïbes, puis elle inaugura, à Vancouver, le nouvel aquarium du parc Stanley; ce fut là l'une de ses rares apparitions en public.

En mai, elle repartit pour Vancouver où elle fut présentée à la reine. Des photographies la montrèrent essayant bravement de retenir sa capeline sous une forte brise, tout en serrant des mains et en faisant la révérence devant Sa Majesté.

Chaque année, au début de juin, le Gouverneur général donne une grande réception dans les jardins de Rideau Hall; cinq mille personnes vinrent à celle de 1973, dans l'espoir de pouvoir approcher la jeune épouse du Premier ministre. Mais elles en furent pour leurs frais, car les Trudeau ne s'y montrèrent pas.

Ce fut également en juin que Margaret se présenta à l'improviste à un dîner officiel donné à Hamilton, à Dundurn Castle, l'ancienne résidence magnifiquement restaurée de Sir Allan Napier MacNab qui fut Premier ministre des Deux Canada, de 1854 à 1856. Elle expliqua qu'elle était l'épouse de l'invité d'honneur, mais tout le monde se montra profondément sceptique. Sur quoi, elle demanda à téléphoner à Pierre qui abandonna précipitamment son boeuf Wellington quand on le prévint que sa femme était au bout du fil. Il était certain qu'elle l'appelait d'Ottawa. Selon un invité, "il eut l'air profondément surpris" en apprenant qu'elle était à Hamilton. On lui fit donc place à la table principale, à côté de "l'invité d'honneur", Pierre, qui laissa tomber: "Elle aurait mieux fait de rester à la maison et de laver la vaisselle." Ce à quoi Margaret répondit avec sa voix de petite fille: "Mais tu avais dit que je pouvais venir."

Margaret était une lectrice avide: "J'aime lire les classiques et les romantiques, et j'adore la poésie. Mais les ouvrages que je préfère entre tous sont ceux d'un Hindou, du nom de Krishnamurti, dont l'influence sur ma façon de penser a peut-être dépassé celle de n'importe lequel de mes professeurs. Il a un esprit extrêmement raffiné et c'est un vrai révolutionnaire, un créateur — l'amour est la seule chose qui ait de l'importance en ce monde, c'est la liberté, c'est Dieu. Il a un esprit tellement profond et pénétrant que tout ce qu'il écrit me passionne."

Juste avant la naissance de son bébé, prévue pour décembre 1971, David Scott Atkinson, un conseiller en relations publiques de Toronto, fit imprimer sa carte de Noël annuelle avec, comme texte, la dixième de ses *Meilleures citations de l'année*. On pouvait y lire: "Si Pierre peut le faire à cinquante et un ans, alors moi aussi j'en suis capable — du moins, si ma mémoire ne me joue pas de tour."

Le 25 décembre 1971, à vingt et une heures vingt-sept, Justin Pierre naquit à l'*Hôpital civique* d'Ottawa; il pesait six livres et neuf onces. Margaret était la première épouse d'un Premier ministre canadien, depuis plus de cent ans, à donner naissance à un enfant pendant le mandat de son mari. La dernière à en faire autant avait été Agnès Macdonald, la seconde épouse de Sir John A. Macdonald qui fut le premier à occuper la charge de Premier ministre du Canada.

Margaret déclara plus tard: "Dès le moment où j'ai commencé à le mettre au monde, il m'a ouvert un univers entièrement nouveau, un univers que je voulais connaître depuis longtemps."

L'astrologue Elias Mallett, de Ville Mont-Royal, au Québec, prédit que "Justin se mariera à vingt-huit ans, et que ce ne sera pas l'unique point par lequel il se distinguera de son père. On peut prévoir des divergences d'opinions entre eux parce que le bébé est Capricorne. Le fils sera beaucoup plus respectueux que le père des opinions d'autrui."

Au moment où le bébé vint au monde, le bruit courait qu'une élection générale était imminente, juste comme le parti de Trudeau se trouvait en fâcheuse posture, face à l'électorat. Un poème plus ou moins de circonstance parut dans le *Toronto Sun:*

On nous a parlé de la Société juste
On nous a parlé de vous, je me préfère
Après avoir connu Margaret, je nous préfère
De grâce, plus de reporters qui nous harcèlent
Quand nous chaussons nos skis
En plein milieu de la bénédiction
Ou encore pendant que nous nous vêtons
Notre union est sublime
Les élections approchent. Et la nation entonne
Le petit Pierre naît juste à temps.*

---

* Jeu de mots sur les prénoms de l'enfant: "Petit Pierre is Justin time."

Même après la naissance du bébé, Margaret ne fit que de rares apparitions en public. En septembre 1972, pendant la campagne électorale, Pierre s'envola pour Vancouver. Margaret et le petit Justin l'y avaient précédé quelques jours plus tôt et séjournaient chez les Sinclair, en banlieue ouest de Vancouver. Quand, un fourre-tout à la main, en pantalon et en veste de suède, elle se présenta à l'hôtel du centre-ville où Pierre était descendu, on put constater à quel point elle était mal connue du public.

Elle demanda au garçon d'ascenseur de la conduire à la suite du Premier ministre, au dernier étage de l'hôtel. Mais ce dernier la laissa cavalièrement au quatorzième étage. Il lui fallut redescendre au rez-de-chaussée pour se renseigner de nouveau.

Là, le préposé à la réception refusa, lui aussi, de lui répondre: "Je regrette, mais nous ne sommes pas autorisés à donner ce genre d'information", lui dit-il, tout en lui suggérant d'appeler la standardiste de l'établissement par le téléphone intérieur.

Cette fois-là, on l'expédia au onzième étage où elle découvrit qu'on y avait déposé en lieu sûr la plupart des bagages de son mari. Elle retourna à la réception et exigea de parler au directeur adjoint. Celui-ci passa devant elle sans la reconnaître, lui non plus. Exaspérée, Margaret courut vers lui: "Je suis madame Trudeau et j'essaye de me rendre à la suite de mon époux." Le directeur adjoint se confondit en excuses et la conduisit à bon port.

Le lendemain soir, le Premier ministre plaisanta sur l'incident dans son discours et intima à ses gardes du corps: "Quand une femme qui pourrait raisonnablement être mon épouse se présente à mon hôtel et demande le numéro de ma chambre, laissez-la monter."

Chapitre 9

Le papillon sort de sa chrysalide

L'année 1972 fut tout aussi morne et noyée dans la routine que la précédente pour Margaret qu'on pouvait souvent voir se promener à bicyclette dans l'élégant quartier de New Edinburgh, à Ottawa, où elle habitait. Chaque fois qu'elle partait ainsi, un officier de la Gendarmerie royale, en civil, sans culotte de cheval ni éperons, la suivait à une distance respectueuse, ayant troquée sa monture pour une bicyclette. Si l'on omet son ange gardien, elle ressemblait à n'importe quelle jeune femme d'Ottawa qui ferait une promenade en vélo. Elle était simplement vêtue de jeans, d'une chemise écossaise à col ouvert et portait des sandales.

Etant donné que Pierre était resté longtemps célibataire après son accession au pouvoir, les réceptions à la résidence officielle étaient devenues remarquablement rares. Cette situation froissa certaines épouses d'hommes en place qui s'étaient toujours trouvées sur les listes d'invitations de ses prédécesseurs, lesquels, contrairement à Pierre, aimaient recevoir. Elles entretenaient donc le secret espoir de le voir se marier, afin de pouvoir redevenir les piliers des festivités de Sussex Drive. Aussi le bruit courut-il, après son mariage avec Margaret, que sa jeune et charmante épouse ferait du 24 Sussex le point de ralliement du Tout-Ottawa.

Mais c'était là mal connaître Margaret qui, pas plus que son mari, n'aimait ni donner des réceptions ni se tenir devant une longue file d'invités pour serrer des mains, et les invitations tant attendues ne se matérialisèrent jamais. Pierre avait clairement fait savoir qu'il ne voulait voir personne, que ce fût la presse ou les épouses des bureaucrates, s'immiscer dans sa vie privée. Son foyer était son royaume.

Néanmoins, l'un de ses adjoints organisa une réception en l'honneur de la mariée, peu de temps après la noce. La fête vira à la catastrophe, essentiellement à cause de l'énorme différence d'âge entre Margaret et les femmes des parlementaires. Entre certaines générations, le fossé est insondable et infranchissable. Bon nombre d'entre elles avaient des fils et des filles qui étaient nettement plus âgés que Margaret, d'autres étaient grands-mères. Il y avait fort à parier qu'elles ignoraient tout des derniers succès du disque inscrits au parlmarès de la semaine ou de la dernière création en matière de jeans pré-rétrécis; et elles devaient sûrement être de fidèles lectrices du *Ladies Home Journal* ou de *Châtelaine,* une revue canadienne, tandis que Margaret devait sûrement préférer *Vogue* ou *Cosmopolitan*.

Après l'arrivée des Trudeau à Sussex Drive, même les courriéristes parlementaires, qui forment la galerie de la presse, durent admettre qu'ils étaient exclus des dîners officieux, "confidentiels", que, avant Trudeau, les Premiers ministres donnaient régulièrement. Les Trudeau donnaient la nette impression qu'ils voulaient qu'on les laisse en paix.

De toute façon, à ce moment-là, Margaret était très timide et très réservée; elle avait vraiment l'air dans ses petits souliers dès qu'il y avait beaucoup de monde et se sentait un peu comme une intruse dans une réunion de famille.

Un député se souvient d'une cérémonie parlementaire durant laquelle Margaret se tenait toute seule dans un coin de l'immense salle de réception, complètement perdue. Son mari discutait politique à l'autre bout de la pièce. Le Président des Communes s'approcha du député et de son épouse et leur demanda de s'occuper de Margaret qui semblait si solitaire. Ils appartenaient au Parti conservateur, mais ils acquiescèrent de bon gré.

Peu après, Margaret acheta en vente une petite machine à coudre dans un centre commercial de la banlieue. Quand elle demanda à la vendeuse de la faire livrer à la résidence du Premier ministre, celle-ci qui ne l'avait pas reconnue jusque-là crut qu'elle allait défaillir. Discrètement, sans faire de bruit, Margaret cessa peu à peu de s'habiller conventionnellement. Comme si elle avait voulu oublier son statut, elle portait de longues jupes paysannes et se promenait pieds nus, le plus clair de son temps; elle allait souvent faire des achats dans les magasins d'Ottawa avec Justin qu'elle portait sur son dos dans un porte-bébé. Elle faisait la plupart de ses vêtements et achetait ses tissus dans une boutique du centre-ville d'Ottawa. Bien entendu, les agents de la Gendarmerie royale l'accompagnaient partout. La première fois qu'elle se rendit à cette boutique, ils vérifièrent toutes les sorties.

Selon l'une des vendeuses, "elle n'était pas du tout exigeante et se montrait toujours très aimable".

Margaret a laissé le même souvenir aux boutiques *Isabel Jones* et *Justin,* situées sur Sussex Drive, près de chez elle. "Elle choisissait des robes d'un prix dans la moyenne. Elle n'était pas dépensière. Nous connaissons bien des fonctionnaires qui achètent des vêtements infiniment plus coûteux", confia une vendeuse.

A cette époque, Margaret avait une bonne d'enfants noire qui était, elle aussi, mère d'un bébé, et il n'était pas rare de les voir se promener ensemble; la châtelaine de Sussex Drive était parfois moins habillée que la nounou. "Elles avaient vraiment l'air de deux clochardes, raconte un observateur. On n'aurait jamais pensé qu'elles venaient de la résidence du Premier ministre."

Pierre n'avait nullement l'intention d'utiliser Margaret, que ce fût dans l'arène politique, pour inaugurer des hôpitaux ou que sais-je encore. Il est même certain qu'il a dû envier sa liberté de mouvement, lui dont la vie était tellement compartimentée.

Pendant les premiers temps de félicité conjugale, Pierre se faisait un point d'honneur de rentrer déjeuner tous les jours, mais, méticuleux comme il était, l'heure du repas se résumait exactement à ça; soixante minutes, pas une de plus.

C'est en octobre 1972, alors que la campagne électorale tirait à sa fin, que Margaret cessa, en pratique, d'être tenue à l'écart des média; un jour que son mari visitait Toronto, elle quitta subitement sa limousine officielle conduite par un chauffeur et rejoignit l'autobus de la presse qui les suivait. "J'ai l'impression qu'on s'amuse bien plus ici", déclara-t-elle tranquillement aux journalistes abasourdis. La conférence de presse qu'elle leur accorda à l'improviste n'était pas prévue au programme de la journée, mais ils l'accueillirent très chaleureusement, tandis qu'elle restait debout en se retenant d'une main à la barre métallique.

Tout en bavardant avec eux dans l'autobus qui filait vers la prochaine étape, elle était consciente de leur scepticisme, né de l'animosité qu'éprouvaient des journalistes professionnels envers cette naïve épouse de politicien, qui faisait fi des conventions et n'avait pas encore subi le baptême du feu. Mais, pour l'instant, c'était eux qui retenaient son attention. Elle leur déclara que si elle avait voulu les rencontrer, c'était pour mettre les choses au point et préciser qu'elle n'avait absolument rien à voir avec la jeune "poule mouillée" dont ils parlaient dans leurs articles. Malgré leur peu de confiance, les reporters étaient enchantés de cette occasion en or et lui posèrent de nombreuses questions pleines d'embûches auxquelles ils croyaient bien qu'elle ne répondrait pas. Quand l'un d'eux lui demanda qui elle était en réalité, il lui tendait alors un piège de taille. Après avoir hésité un moment comme si elle cherchait une phrase qui lui permettrait de s'en sortir, elle répondit avec un sourire qui ne tremblait pas: "Eh bien, je crois que je suis pleine de feu."

Beaucoup se montrèrent surpris parce qu'elle ne leur était jamais apparue comme quelqu'un de très fougueux; ils se l'imaginaient bien plus comme une personne terne. Mais, ce jour-là, elle se montra animée, chaleureuse et intelligente.

Tout comme ses confrères, le journaliste qui lui avait posé la première question était rongé par la curiosité parce que c'était la toute première fois qu'ils avaient l'occasion de rencontrer Margaret et de bavarder avec elle à bâtons rompus; en outre, elle semblait prête à répondre sans détour à tout ce qu'ils lui demanderaient. Jusqu'à cette rencontre presque clandestine, Pierre avait pris tous les moyens pour empêcher les média de se glisser dans sa vie privée, surtout dès qu'il s'agissait de sa femme; car s'il y avait une chose qu'il ne voulait pas, c'était bien de la voir dans une position terriblement désavantageuse, aux prises avec leurs questions à double tranchant. C'est pourquoi c'était là sa première conférence de presse.

Malgré ça, Margaret se montrait sereine et sûre d'elle, sous le feu roulant des questions qui allaient de son rôle de mère (Justin avait alors dix mois) à Jackie Onassis. Elle affirma qu'elle ne voulait pas qu'on la confonde avec Jackie. Sans avoir l'air d'y toucher, elle laissa tomber: "Oh! moi, je suis simplement comme notre bonne mère Nature, je suis libre, j'ai travaillé et voyagé. Je ne suis pas restée là à attendre qu'un homme entre dans ma vie." Les reporters griffonnaient à toute vitesse, d'autant plus que la référence à la mère Nature faisait bien et qu'ils pouvaient la citer sans risque. Ainsi, pour la première fois depuis son mariage avec Pierre, Margaret livrait-elle en toute sincérité plusieurs de ses conceptions personnelles. "J'ai toujours souhaité être une épouse et une mère, et c'est ce à quoi je me consacre entièrement."

Tout en elle, en cette occasion, contrastait abruptement avec ses précédentes apparitions en public. On aurait dit qu'elle avait repensé sa tactique et ses attitudes qui ne rappelaient en rien une photographie parue tout juste un mois auparavant et qui la montrait, vêtue d'un tailleur, les mains jointes, sagement posées sur ses genoux. Bien que personne n'en sût rien à ce moment-là, c'était la dernière fois qu'on avait pu la photographier dans une semblable attitude. La légende qui accompagnait la photo disait: "La silencieuse compagne de Trudeau laisse l'image parler d'elle-même." C'était ce genre de détail qui avait convaincu tout le monde que Margaret était timide et réservée, mais, après la franchise dont elle venait de faire preuve, les journalistes commençaient à se demander s'ils ne s'étaient pas mépris sur son compte.

Son sourire ne quittait pas ses lèvres pendant qu'elle discutait sur la libération de la femme, disant que cela lui avait déplu lorsque les organisations "étaient devenues pour certaines l'occasion de jouer aux maniaques du pouvoir... J'ai joui de suffisamment de liberté, en grandissant, pour être capable de faire des choix. Je pense que c'est précisément ça, la libération de la femme."

Margaret parvint à surmonter son irritation quand quelqu'un suggéra qu'elle "brouillait les cartes en ne respectant pas les règles du jeu adoptées par les autres femmes de la haute société d'Ottawa". "Eh! bien, tant mieux", répliqua-t-elle. Tous les reporters s'empressèrent d'écrire et quelques-uns se mirent à regarder avec une admiration sans borne cette "nouvelle Margaret".

L'une des journalistes lui jeta un coup d'oeil approbateur quand elle déclara: "Je ne fais pas partie des biens publics. Je n'appartiens pas non plus à mon mari." Sa mère avait déjà fait la même mise au point, des années plus tôt. Manifestement enchantée de leur réaction, elle conclut: "J'espère que tout ça, ce n'est pas de la bouillie pour les chats." A ce moment-là, des adjoints du Premier ministre vinrent la chercher.

Margaret avait montré à la presse qu'elle était réellement indépendante et qu'elle n'avait pas l'intention de se laisser imposer silence par son mari ou par les conseillers de ce dernier. Elle avait essayé, à sa façon, de faire comprendre aux journalistes que, désormais, sa vie ne serait plus indissolublement liée à celle de Pierre. Il ne se tiendrait plus à ses côtés en affichant un sourire protecteur.

Le lendemain, tous les journaux canadiens faisaient leur première page avec cette conversation impromptue et reprenaient chacun de ses mots. Margaret allait apprendre très rapidement que, pour la presse, les politiciens et surtout leurs jeunes épouses vivent dans un aquarium. Et elle découvrirait tout aussi vite que les commérages allaient bon train à son sujet et que si elle voulait survivre en dépit de l'opinion publique, il lui faudrait laisser de côté toute susceptibilité.

Quelques mois après les "débuts" de Margaret dans l'autobus de la presse, alors que la campagne électorale avait pris fin et qu'elle était retournée à sa vie rangée, la mort frappa. La mère de Pierre mourut à Montréal, au début de 1973, après une longue maladie. Elle était âgée de quatre-vingt-deux ans.

Son état de santé avait empêché madame Trudeau d'assister au mariage de son fils, à Vancouver. Même si Margaret ne semblait pas très liée avec sa belle-mère, elle venait la voir de temps en temps à Montréal. Pierre, qui était extrêmement attaché à sa mère, l'accompagnait dans la majorité des cas.

On put rapidement juger à quel point il avait été affecté par ce décès, entre autres par le mépris qu'il affichait envers ceux qui ne partageaient pas son avis. Environ un mois après la mort de sa mère, il se laissa aller à blasphémer dans la sacro-sainte Chambre des communes. Il n'avait jamais eu la réputation d'avoir un tempérament calme, mais il devint encore plus explosif pendant les débats. Il accusa Robert Stanfield, qui était alors chef de l'Opposition, de lui poser "une sacrée bon Dieu de question bidon". C'était le dernier d'une série d'incidents qui avait débutée l'année précédente, alors qu'il avait conseillé à un Conservateur de "fermer sa g..." Il n'avait pas réellement prononcé ces mots injurieux, mais tout le monde avait pu les lire sur ses lèvres. Quand, au sortir des

Communes, la presse l'avait interrogé à ce sujet, il était devenu blême; mais, dans le plus pur style de "Trudeau le dandy", il s'en était sorti avec un haussement d'épaule caractéristique et en n'admettant qu'avoir simplement dit: "Fuddle Duddle"*. Il va sans dire que cela déclencha des réactions d'un bout à l'autre du pays, réactions qui allaient de l'amusement et de l'admiration à la consternation devant le mépris flagrant qu'il manifestait envers le Parlement.

D'autres se frottèrent les mains; ce furent les commerçants qui inondèrent littéralement le marché d'affiches et de T-shirts: "Fuddle Duddle" devint l'expression à la mode, surtout parmi ses jeunes admirateurs. Aussi put-on constater, quelques jours plus tard, qu'il avait fait preuve d'une imagination de bon aloi et que, une fois encore, ses écarts de langage se transformaient en capital politique. Et, quel qu'ait pu être le motif qui l'avait poussé à sacrer, cela s'était révélé d'une incroyable efficacité à cause de la publicité instantanée qu'il en avait retirée.

Pour sa part, le chef du Nouveau Parti démocratique, David Lewis, ne jugea pas l'incident aussi drôle que ça et il reprocha vivement à Pierre Trudeau d'avoir perdu son calme et de se conduire en enfant gâté". Pour toute réponse, ce dernier le regarda d'un air contrarié et l'accusa d'avoir "l'esprit tordu". Venant d'un homme qui avait reçu une excellente éducation, ces incidents étaient décidément hors de mise, même en tenant compte de sa "jeunesse" en termes d'ancienneté parlementaire.

Le printemps fit place à l'été et Margaret participa à l'exode traditionnel vers la campagne. Elle passa la majeure partie de l'été de 1973 à la résidence d'été officielle du Premier ministre, située au lac Harrington, au Québec, dans les collines de la Gatineau, à vingt-cinq milles d'Ottawa. On a décrit cette magnifique demeure blanche comme un "grand chalet en bardeaux". Une imposante cheminée constitue

---

* "Va te faire voir."

l'élément marquant du salon du rez-de-chaussée. Au dessus, sont suspendues des cornes de boeuf musqué provenant de Frise Fiord, dans les Territoires du Nord-Ouest. Dans le jardin, une petite cascade donne naissance à un lac.

Là, à la campagne, Margaret cultivait un potager où poussaient des haricots, des carottes, des petits pois et des asperges, de même que des fruits, telles les fraises et framboises, et des aromates, dont du romarin, de la menthe, du basilic, de l'estragon et de la sauge.

Margaret aimait bien faire les choses sans cérémonie. En août 1973, un groupe de chefs d'Etat du Commonwealth, qui participaient à une conférence au Canada, firent un bref séjour dans les Laurentides pour se reposer un peu des discussions. Margaret, enceinte de cinq mois de son second enfant, avait amené Justin. Celui-ci portait un T-shirt qui proclamait: "Salut, je m'appelle Justin et je ne parle pas encore." Il compensa son incapacité verbale en se déshabillant de la tête aux pieds et, nu comme un ver, sauta dans la piscine. La scène amusa grandement le Premier ministre Heath, de Grande-Bretagne, ainsi que les autres invités de marque.

Margaret a déjà dit, à propos de Justin: "Il a une très forte personnalité, mais il est généralement doux et heureux de vivre. Il a du tempérament qu'il réserve toutefois pour les grandes occasions. Il est terriblement amusant."

Durant les deux premières années de son mariage, le fait que, à son avis, la presse tentait de forcer son intimité était devenu pour Pierre un sujet de constante irritation. Néanmoins, après en avoir discuté avec Margaret, il conclut qu'il serait peut-être bon qu'elle accorde une entrevue poussée à la presse. Cette entrevue fut perçue plus tard comme le signe de l'indépendance croissante de Margaret. Elle allait avoir vingt-quatre ans en septembre (1973), et son âge prenait subitement une signification inéluctable: elle devait s'affirmer en tant qu'individu.

C'est ainsi que, le 23 juin 1973, assise sur les marches de la résidence du lac Harrington, elle donna une interview révélatrice à Dan Turner, du *Toronto Star,* qu'accompagnaient deux photographes.

Dire que l'entrevue se déroula sans formalité serait loin de la vérité. En fait, il était impossible de la comparer aux rencontres compassées qu'avaient eues jusque-là avec les média les épouses des Premiers ministres précédents. Margaret se présenta vêtue d'une robe afghane, pieds nus et les ongles des orteils recouverts d'un poli d'un rouge étincelant. Elle précisa que c'était "Real Real Red", de Revlon. Jamais nul n'aurait imaginé la charmante et regrettée Olive Dienfenbaker ou la timide Marion Pearson, par exemple, donnant une interview, habillées de la sorte. Mais Margaret Trudeau n'était en aucune façon une épouse de Premier ministre selon les normes.

Elle parla de son enfance à Vancouver, où, à l'école, elle était quatorzième ou quinzième sur soixante-dix élèves; puis elle raconta ses années à Simon-Fraser, son voyage au Maroc et sa rencontre avec le Premier ministre.

"Je pense qu'une femme doit réellement faire un immense effort pour renoncer à elle-même, pour tirer un trait sur sa propre identité et devenir uniquement une mère, uniquement une épouse... On voit tellement de femmes qui sombrent dans l'amertume après le départ de leurs enfants parce qu'elles ne savent tout simplement plus quoi faire d'elles-mêmes. Elles en veulent au monde entier d'avoir été traitées injustement, alors que ce n'est pas le monde... ce sont elles qui, depuis le tout début, n'ont pas su se respecter suffisamment en tant qu'individus, ce sont elles qui ne se sont jamais dit: "Je suis une personne et c'est à ce titre que j'existe." Tout ça, je crois, se ramène à l'individu — s'affirmer comme quelqu'un qui a le droit d'être exactement ce qu'il est au lieu d'être forcé de se confiner dans un rôle déterminé."

Cette déclaration devait s'avérer prophétique et prouve que, dès cette époque, Margaret avait déjà réfléchi à son rôle d'épouse de Premier ministre.

Elle laissa clairement entendre qu'elle n'aimait pas du tout la vie qu'elle menait, ni dans la cage dorée de Sussex Drive, ni dans la solitude du lac Harrington. Et elle expliqua que, à son avis, se montrer féminine ne signifiait pas qu'elle dût se consacrer exclusivement à l'éducation de ses enfants. Et cela ne signifiait pas non plus qu'elle devait se tenir aux côtés de son mari chaque fois qu'il avait besoin d'elle à des fins politiques — "une fleur à sa boutonnière".

Une violente averse interrompit l'entrevue et Margaret invita tout le monde à la poursuivre au coin du feu.

"Quand j'étais petite, j'adorais jouer à la poupée et m'occuper d'enfants, ce que j'ai fait dès que j'ai été assez grande pour ça. D'aussi loin que je me souvienne, j'ai toujours voulu avoir des enfants. Mais, même en rêve, on ne peut s'imaginer ce que c'est en réalité, c'est une expérience merveilleuse. Il ne fait aucun doute, à mes yeux, que la grossesse est un moment parfait dans la vie d'une femme parce qu'il ne comporte que des rêves positifs."

L'épouse d'un politicien libéral en vue qualifia l'interview de "fadaises d'adolescente jacasseuse".

Les rêves de Margaret se concrétisèrent une fois encore quand, le 25 décembre 1973, soit deux ans jour pour jour après Justin, elle donna naissance à l'*Hôpital civique* d'Ottawa à un second fils, Alexandre Emmanuel (qu'on surnomma Sacha); on aurait presque pu croire que les conseillers politiques de Pierre étaient intervenus pour aider à déterminer le moment de la naissance.

Chapitre 10

La campagne électorale

En 1974, Pierre Trudeau se lança de nouveau dans une campagne électorale qu'il voulait remporter avec une écrasante majorité. En effet, depuis la fameuse question du pipe-line en 1958, le Canada ne s'était doté qu'une seule fois d'un gouvernement majoritaire.

Ce dont Pierre avait besoin, entre autres choses, c'était d'un émissaire capable de lui rapporter des voix et de lui obtenir un mandat sans ambiguïté. Malgré l'avis de plusieurs de ses conseillers, il choisit Margaret, sa "femme-fleur", pour en faire son principal atout.

Pour son tour de passe-passe politique, il était prêt à faire flèche de tout bois. Margaret fut présentée comme une mère dévouée et une solide collaboratrice. Du même coup, la population canadienne eut droit à toute une mise en scène avec Margaret; assemblée après assemblée, elle se tenait sur l'estrade, souriait, fixait une mer de visages impassibles, acceptait d'innombrables bouquets ou écoutait les discours de son mari. Il n'était nullement besoin d'être fin psychologue pour se rendre compte que sa coiffure à la "Gatsby le Magnifique", ses robes sages et ses souliers vernis bleus ne servaient qu'à une seule et unique fin: accumuler des votes.

Margaret entreprit plusieurs tournées importantes avec Pierre. Elle prit la parole devant quatre groupes québécois, dans un français qui, à l'époque, était très acceptable.

Dans la petite ville québécoise d'Abercorn, près de la frontière du Vermont, elle parla sans cérémonie devant une petite assemblée de sa vie d'épouse de Premier ministre: "Si on n'y est pas habituée, les heures de solitude sont longues et pénibles. Pierre travaille douze, treize heures par jour et nous nous couchons à minuit.

"Ce n'est pas une vie réjouissante. Ce n'est pas une vie qui procure des satisfactions personnelles. Mais nous avons l'impression de faire quelque chose pour le peuple que nous aimons... le peuple canadien."

Juste avant que la campagne n'entrât dans sa dernière phase, Margaret put s'accorder quelques jours de répit qu'elle passa chez ses parents, à Vancouver. A Terrace, en Colombie-Britannique, elle avait annoncé qu'elle n'emmènerait pas les enfants. Une femme, dans l'assistance, lui ayant demandé: "Où sont les petits?" elle répondit: "N'en parlez pas ou je vais me mettre à pleurer." Pourtant, trois ans plus tard, elle partit pour New York en les laissant à Ottawa sans trop de remords.

Deux jours plus tôt, Justin avait volé la vedette au moment de leur arrivée à l'aéroport de Vancouver où, à peine descendu de la passerelle, il avait salué les reporters en criant: "Salut tout l'monde, salut tout l'monde."

L'un des journalistes lui ayant parlé de ses souliers, il répondit avec le plus grand des sérieux: "Ce sont mes souliers de la çamb'commun'."

Margaret s'empressa de traduire: "Il veut dire que ce sont ses chaussures de la Chambre des communes, celles qu'il met quand il va aux Communes."

Comme on lui demandait pourquoi elle participait à la campagne, elle reconnut que "mon mari disait qu'il ne voulait pas me voir y prendre part. Il disait que cela me découragerait... Tu es trop sensible, c'est un travail très ingrat et les sceptiques ne manquent pas", ajouta-t-elle en le citant.

Margaret se heurta personnellement à ce "scepticisme" quand elle-même et des membres de son parti se virent refuser l'accès à un asile de vieillards administré par l'Eglise-Unie, dans sa ville natale. La direction expliqua qu'elle observait une politique de stricte neutralité et que, alors qu'elle aurait été enchantée d'accueillir un groupe formé de représentants de tous les partis, elle ne pouvait permettre que les Libéraux soient les seuls à exposer leur programme.

Le même jour, elle se retrouva nez à nez avec d'autres "sceptiques". Elle venait de prononcer avec succès une allocution devant environ deux mille élèves de l'école secondaire de Killarney; au moment où elle-même et son groupe quittaient l'établissement, des adolescents entassés dans une voiture les dépassèrent en hurlant à pleins poumons: "Les Libéraux puent! Les libéraux puent!" Margaret fit semblant de n'avoir rien entendu.

Au 24 Sussex Drive, tout son courrier était ouvert à son insu et on ne lui montrait que les lettres favorables; les autres, celles qui contenaient des insultes ou étaient moins aimables à son endroit, étaient détruites — à moins qu'on ne les ait classées pour la postérité. On ignore si cette initiative est le fait de Pierre lui-même ou d'un de ses conseillers politiques. Quoi qu'il en soit, Margaret était maintenue dans l'ignorance de ce que la population pensait vraiment à son sujet. C'est seulement quand elle fréquenta le collège communautaire Algonquin, en banlieue d'Ottawa, qu'on lui remit en mains propres toutes les lettres qui lui y avaient été adressées. Beaucoup la dénigraient. Bien des gens lui reprochaient d'avoir repris ses études en abandonnant ses tout jeunes enfants à la garde d'une gouvernante. Elle fut à la fois choquée et bouleversée en découvrant qu'en réalité elle avait vécu dans une cage dorée et que certains de ces concitoyens n'appréciaient pas du tout ses fredaines.

Elle fit plusieurs autres discours qui lui valurent d'être critiquée par les média à cause de leur sincérité et de leur contenu apolitique. Une fois, elle déclara devant un groupe d'électeurs que "Pierre m'a tellement appris sur l'amour". A cette remarque qui leur inspirait des idées grivoises, tous éclatèrent de rire. La presse s'en empara et la phrase vint s'ajouter à la liste toujours plus longue des *faux pas** de Margaret. Les organisateurs du Parti libéral estimèrent, eux aussi, qu'elle allait un peu trop loin avec ses déclarations naïves et lui proposèrent aussitôt de rédiger ses prochains discours.

Lors de la dernière allocution qu'elle prononça dans le cadre de la campagne, au cours d'un pique-nique international à Centre Island, dans le secteur portuaire de Toronto, Margaret, vêtue d'une longue robe en coton, précisa: "Je me suis attirée énormément d'ennuis au début de cette campagne parce que j'ai parlé de l'amour, ce que beaucoup ont interprété de façon erronée. Mais je ne peux parler que de ça, parce que je crois réellement en l'amour..."

Juste une semaine avant le jour du vote, le magazine *Time* releva le point suivant: "Elle s'est révélée la personne la plus sympathique et la plus agréable de cette campagne. Après avoir débuté par de brèves apparitions aux côtés de son mari — qui est remarquablement plus calme et détendu en sa présence —, elle est devenue une politicienne à part entière. Son pouvoir attractif peut faire toute la différence entre la victoire et la défaite, pour le Parti libéral, dans le cas d'une lutte serrée." Cette prédiction s'avéra fondée. Le 8 juillet 1874, les électeurs canadiens allèrent aux urnes. A vingt et une heures, heure d'Ottawa, on sut à quoi s'en tenir. Grâce à l'aide considérable que lui avait fournie sa femme, Trudeau était reporté au pouvoir.

Deux mois plus tard, le bureau du Premier ministre annonça que Margaret avait été admise à l'hôpital "pour se

---

* En français dans le texte.

reposer et y subir quelques tests". Mais d'autres versions firent aussitôt le tour de Montréal et de la capitale; aux environs de midi, les rumeurs avaient atteint le *Club de la presse nationale,* le *Saint James Club* et le très sélect *Rideau Club,* d'Ottawa: Margaret souffrait d'épuisement nerveux.

Aux yeux de tous, Margaret payait chèrement la victoire remportée par Trudeau. Mais personne ne connaissait les dessous de l'affaire. Déjà, les rencontres et les conversations se multipliaient à un rythme frénétique entre les conseillers politiques et les adjoints du Premier ministre, qui, eux, savaient à quoi s'en tenir. Comme d'habitude, devant la possibilité d'une dépression nerveuse, tout le monde se montra un petit peu plus raisonnable. La presse, pour sa part, manifesta une totale incrédulité. Comment, selon ce qui avait été dit à la télévision, avait-on pu cataloguer comme "émotionnellement malade" Margaret, cette jeune femme heureuse en ménage, qui semblait tout avoir et qui, jusque-là, avait paru satisfaite dans son rôle d'épouse de Pierre Trudeau.

Devant les questions des journalistes qui voulaient savoir de quoi souffrait vraiment Margaret, le bureau du Premier ministre eut recours aux mêmes réponses peu compromettantes qu'il ressortait chaque fois qu'elle était en cause. Il essaya vaillamment de noyer le poisson et de dissimuler les véritables motifs de l'hospitalisation.

Finalement, ce fut Margaret elle-même qui confirma les rumeurs de "maladie" en donnant une conférence de presse à l'hôpital. Elle annonça sans ambages qu'elle souffrait d'une "sérieuse dépression" et qu'elle était soignée à l'aile psychiatrique.

Désormais, il ne faisait plus de doute, même pour ceux qui avaient voté massivement pour les Libéraux, que Trudeau avait "utilisé" Margaret pour gagner les élections — et que c'était presque à elle seule qu'il devait ses lauriers. Les électrices avaient été particulièrement séduites par sa douceur et son charme qui tranchaient avec les manières acerbes de

Pierre et le rendaient plus humain. Bien entendu, celui-ci ne manquait pas d'admirateurs, surtout parmi les jeunes femmes.

Plus tard, Margaret déclara: "Je restais simplement assise là, en quête d'un rôle. Je ne pouvais me défaire de l'idée saugrenue qu'il me fallait mériter l'approbation de tous. Je crois que cela a un rapport avec le fait d'avoir été élevée parmi cinq filles."

Les sentiments se bousculaient dans sa tête. Elle avait l'impression d'avoir été exploitée, utilisée à fond, et que, maintenant, on la renvoyait à son rôle d'"épouse glorieuse". Mais ces émotions n'étaient rien à côté de son total épuisement physique, comme on put le constater d'après les photos prises pendant son hospitalisation. Elle avait les traits tirés, vieillis, tendus. Elle paraissait beaucoup plus âgée que ses vingt-cinq ans.

Quel type de dépression le refoulement des angoisses profondes peut-il déclencher? Personne ne pouvait sembler moins introverti; mais Pierre, mieux que quiconque, savait que Margaret n'était pas faite pour les pressions politiques inhérentes à une campagne électorale.

Ce dont nul n'avait tenu compte, c'était que Margaret s'était lancée dans la campagne sans la moindre préparation. Pareil rôle ne rui ressemblait en rien, mais, ainsi qu'elle l'avait stoïquement déclaré en cours de route: "Nous devons gagner et si c'est ça qu'il faut faire, eh! bien, je le ferai."

Le 23 novembre 1977, l'article suivant parut dans le *Vaughan Vanguard,* un hebdomadaire ontarien: "Vers la fin de 1973, Trudeau avait fait aménager une élégante garçonnière au dernier étage de la résidence officielle, au 24 Sussex Drive.

"Après les élections de 1974, il s'y tint une grande fiesta qui choqua Maggie à un point tel qu'elle s'envola pour Paris. C'est là que la découvrit Léo Cadieux, notre ambassadeur en France, après quoi on l'expédia à l'*Institut neurologique* de Montréal où elle vida son sac, mais alors là, complètement.

"Quand son histoire sortit dans les journaux, Pierre se

précipita à l'Institut et on diffusa des photos le montrant en train de se promener avec elle dans les jardins." Margaret passa douze jours à l'hôpital.

Quelques semaines plus tard, au cours d'une émission d'affaires publiques, elle confia: "Quand je suis arrivée à l'hôpital, j'étais morte de frayeur parce que je savais que j'étais... désormais classée comme émotionnellement malade, tout d'un coup, parce que nous ne sommes absolument pas préparés à ça... Je craignais qu'au lieu de m'aider, ils ne me privent, d'une façon ou d'une autre, d'une partie de moi-même. Mais je me trompais du tout au tout. Ils m'ont vraiment secourue."

Pendant la campagne de 1972, Pierre avait affirmé qu'il s'abstiendrait d'"utiliser" Margaret dans un but politique. Mais, en septembre 1974, ce n'était plus là que des paroles creuses.

En 1974, Margaret avait elle-même déclaré pendant une entrevue: "Dès que je me rends compte que les gens se servent de moi parce que je suis la femme du Premier ministre, je m'écarte d'eux." Son époux aurait dû relever cet avertissement qui ne manquait pas d'à-propos. Elle détestait l'idée de devoir attendre passivement le retour d'un époux qui avait passé la journée à discuter avec les dirigeants de la planète, alors que, pour elle, les entrevues les plus importantes se réduisaient à des échanges avec l'intendant de sa maison. Elle ressentait avec force qu'elle attendait davantage de la vie que la seule satisfaction de prendre soin de son mari et de sa famille.

En février 1976, à Vancouver, un reporter interrogea Pierre sur sa femme et remarqua que madame Trudeau semblait savourer "un sens de l'indépendance récemment découvert".

Trudeau feignit l'étonnement et répliqua: "Vraiment... j'ai toujours été en faveur du maximum d'indépendance pour le maximum de personnes."

Un peu auparavant, Margaret avait précisé: "Je pense que les cours de photographie que je vais commencer à suivre constituent une étape positive. J'ai l'intention d'écrire un peu et de faire de la photo,afin de me livrer à toutes sortes d'activités qui, je l'espère, seront autant de moyens d'exprimer ce que j'ai à exprimer."

Betty Friedan, dans *La Femme mystifiée,* ainsi que nombre d'autres féministes ont écrit en long et en large sur les femmes qui essayent d'étouffer leur personnalité et leurs dons latents pour paraître plus féminines. Celles-ci finissent fréquemment par faire payer leurs frustrations à leur entourage.

Malheureusement, dans notre société, le fait de porter et d'élever des enfants a toujours eu pour conséquence d'enfermer la femme dans son foyer. C'est incontestablement ce qui s'est passé pour Margaret pendant les premières années de son mariage. Mais, quoiqu'elle ait joué à la maîtresse de maison, elle avait au moins sept domestiques à son service; aussi, était-ce loin d'être une tâche à temps plein.

Son époux passait de nombreuses heures à l'extérieur. Elle confia un jour qu'ils ne passaient ensemble qu'une heure et demie quotidiennement. Rongée par l'ennui, elle se mit à chercher d'autres champs d'intérêts en dehors de sa maison. Elle n'avait évidemment pas besoin des revenus supplémentaires que cela pourrait lui rapporter, mais elle avait besoin de sentir qu'elle faisait quelque chose par elle-même.

La charge de Pierre pesait lourdement sur leurs moments de liberté. Les soirées à la maison, sans réunions officielles, étaient rares et elles étaient le plus souvent interrompues par des coups de téléphone provenant d'un membre du cabinet ou de l'un des adjoints de Pierre.

En faisant allusion aux valises diplomatiques que des messagers apportaient au 24 Sussex et qui contenaient d'importants documents d'Etat, elle dit, en une occasion: "J'ignorais de quoi il s'agissait, je ne regardais pas dans ses valises." Une autre fois, elle déclara: "S'il y a quelque chose que je déteste, ce sont bien ces maudites valises brunes qu'il rapporte chaque soir à la maison. Elles le dévorent."

Dès lors, les différences de caractère entre les Trudeau se précisèrent. Pierre tenait le rôle de l'aîné parfaitement organisé et qui voyait fuir sa jeunesse. Il avait épousé une très jeune femme qui se révélait maintenant indisciplinée et sans organisation, après avoir été, autrefois, libre de tout souci.

Margaret était très consciente de la situation parce qu'elle déclara au cours d'une entrevue radiophonique: "Nous sommes tellement différents, moi, romantique et lui, intellectuel et froid, que nous avons dû faire de gros efforts dans notre mariage."

Mais, en dépit de tous ces efforts, leur union montrait des signes d'affaiblissement. Durant la majeure partie de 1974, Margaret avait tenté de se conduire en épouse de politicien pour venir en aide à son mari; dès septembre, cependant, on pouvait penser qu'elle n'était pas faite pour ce rôle.

Combien de temps s'écoulerait-il encore avant que Margaret essaye de remédier à la situation?

Chapitre 11

Etre soi-même

Vers la fin d'octobre 1974, la station de télévision CTV diffusa, d'un bout à l'autre du pays, une entrevue avec Margaret. L'animatrice de l'émission était la journaliste Carole Taylor.

Cette entrevue était vraiment un coup de maître de la part de Carole qui l'avait sollicitée par lettre, deux mois plus tôt. Elle avait, du reste, rencontré Margaret brièvement au cours du printemps. Dans sa demande d'entrevue, elle expliquait que le public en avait assez "d'entendre parler" de madame Trudeau et que, à son avis, rien ne lui plairait davantage que de la voir donner sa propre version des faits.

Margaret téléphona à Carole pour lui exprimer son accord et elles s'entendirent sur une date. Mais le rendez-vous fut remis à cause de sa dépression nerveuse. Néanmoins, l'enregistrement eut lieu après sa sortie de l'hôpital, juste avant son départ pour Paris avec Pierre; il fut présenté dans le cadre de "W-5", une émission d'affaires publiques diffusée le dimanche soir, à l'heure de pointe.

Pendant l'entrevue, Margaret aborda ouvertement divers thèmes, tels sa dépression nerveuse, sa participation à la campagne électorale, la vie au 24 Sussex Drive, la Gendarmerie royale, les gardes du corps, son voyage au Maroc et les enfants des fleurs.

Questionnée à ce sujet, elle reconnut être une enfant des fleurs dans l'âme, ce qu'elle considérait comme un signe d'appartenance à sa génération. "C'est dans ce milieu que je me suis épanouie", ajouta-t-elle. Puis elle avoua qu'elle se sentait prisonnière dans la résidence officielle: "Je ne suis jamais seule... il y a tout le temps deux policiers."

Elle élabora un peu plus sur le genre d'existence qu'on peut mener à l'ombre des agents de sécurité: "Justin est très intéressé par les revolvers et il s'imagine que ça sert à tuer des serpents à sonnettes. C'est parce qu'il vit au milieu de policiers armés... Et quand nous allons dans un magasin, il essaye de me convaincre de lui acheter un pistolet pour qu'il puisse tuer des serpents à sonnettes..."

Une autre chose qui lui était pénible, c'était, par exemple, de ne plus être libre d'aller au coin de la rue acheter une bouteille de lait.

Margaret parla également de l'épuisante campagne électorale; elle fut profondément surprise, confia-t-elle, quand son médecin qualifia de maladie émotionnelle le découragement qui l'avait envahie après les élections.

Le reporter Hugh Winsor écrivit, dans le *Globe and Mail*, que "Margaret Trudeau n'avait jamais réellement franchi l'écart qui séparait la dame du 24 Sussex Drive de l'enfant des fleurs au regard embué, éprise de poésie, qui avait frayé avec les étudiants rebelles de Simon-Fraser.

"Elle semblait parfois se complaire dans le rôle de cette saisissante beauté qu'on pouvait voir au bras de Pierre, d'autant plus que ce rôle lui donnait aussi bien accès à l'antichambre du pouvoir, à Whitehall et à la Maison Blanche, qu'aux yachts de millionnaires et aux résidences royales."

Winsor releva aussi le fait que "la nostalgie qu'elle conservait d'un passé insouciant ainsi que son attirance irréfrénée pour tout ce qui était dernier cri ou excentrique ne s'étaient jamais effacées complètement".

Quelques semaines plus tard, Margaret s'envola pour le Japon où elle passa douze jours aux frais de la princesse, en l'occurrence la compagnie *Heiva Shipping*. Sa soeur Heather et Charles, le frère de Pierre, l'accompagnaient.

Mais cette petite excursion, faite à titre privé, avait quand même un but: le baptême d'un super-pétrolier que Margaret nomma *World Canada*. Toutefois, quand on apprit qu'il en avait coûté plus de deux cent mille dollars à son hôte, Y.K. Pao, un magnat du commerce maritime de Hong-Kong, la presse canadienne, pourtant tolérante, s'en donna à coeur joie.

C'est ainsi qu'on apprit que Margaret aimait mener un train de vie luxueux puisqu'elle avait trouvé le moyen de faire grimper sa note d'hôtel à 1 702 dollars au *Plaza Okura,* de Tokyo, où elle n'était restée que quatre jours, même si elle y avait occupé la suite royale.

Les critiques les plus virulentes vinrent de Vancouver, sa ville natale, où l'omniprésence des super-pétroliers et le risque de les voir s'échouer avec leur cargaison constituent un sujet de constante préoccupation. Le journaliste Bob Hunter qualifia Margaret de "vendeuse itinérante de pétroliers".

Peu après, soit le 27 novembre 1974, il revint à la charge dans le *Vancouver Sun:* "Au cas où madame Trudeau l'ignorerait, la perspective de voir ces super-pétroliers cracher leur liquide noir et gluant le long de nos rives n'emballe absolument pas les habitants de la côte Ouest. Comment diable le Canada peut-il entreprendre sérieusement une campagne contre les pétroliers américains, alors que l'épouse du Premier ministre se promène un peu partout en fracassant tranquillement des magnums de champagne contre les coques de ces monstres?"

Ces critiques trouvèrent un écho aux Communes où le chef de l'Opposition fustigea sa promenade au Japon qui, dit-il était un bien triste exemple et devrait faire réfléchir certains membres du gouvernement sur les risques qu'il y a à accepter des faveurs de même que sur les conflits d'intérêts susceptibles d'en résulter.

Quoi qu'il en soit, Margaret dut trouver la maison de Sussex Drive particulièrement terne, comparativement à la découverte excitante de l'Orient, au "tempura" authentique et au merveilleux bijou qu'on lui avait offert en souvenir de son voyage.

Mais elle avait décidé de mettre un peu d'animation dans sa vie et annonça son intention de devenir reporter photographe: "Je me suis exercée à écrire et à photographier, et, en plus, j'ai un emploi en vue, mais je ne peux pas encore en parler, pour le moment." Elle laissa entendre qu'elle travaillerait pour une revue sans toutefois, préciser laquelle.

On découvrit qu'il s'agissait de *Châtelaine,* le magazine féminin le plus en vogue au Canada; Margaret aurait à rédiger un article de trois mille mots sur le sujet de son choix. Elle recevrait pour ce faire environ six cents dollars, déclara Jean Wright, directrice administrative de la revue, laquelle ajouta: "Je n'ai aucune idée de ses antécédents en ce domaine, mais on ne compte plus les journalistes célèbres qui ont débuté ainsi. De toute façon, son article devra correspondre aux normes d'un magazine de qualité, ce qui est autant à son avantage qu'au nôtre."

Et elle conclut: "Nous allons la traiter exactement comme n'importe quel autre pigiste. Ce n'est pas parce qu'elle est l'épouse du Premier ministre que ses photos seront automatiquement publiées."

Margaret avait été précédée dans cette voie par, entre autres, Eleanor Roosevelt, Mary Wilson (épouse du Premier ministre travailliste de Grande-Bretagne), Linda Byrd Robb, Julie Nixon Eisenhower et Margaret Whitlam (femme du Premier ministre d'Australie), qui, toutes avaient collaboré à des revues.

Mais la comparaison s'arrêtait là. Margaret changea d'avis et laissa tout tomber, déclarant qu'elle "allait rester tranquille un certain temps".

Tout porte à croire que l'abondante publicité faite autour de son projet, de même que les critiques soulevées par l'entrevue télévisée où elle avait parlé à coeur ouvert et par son voyage au Japon, l'avaient profondément irritée, d'où sa volte-face.

Tout le monde fut stupéfié de l'entendre affirmer, lors d'une réception à caractère politique tenue à Montréal, qu'elle n'avait jamais parlé de faire du journalisme. "Tout ça, c'est de la pure invention."

C'en était trop pour Doris Anderson, directrice de la revue. Elle révéla à la presse que c'était Marie-Hélène Fox, la secrétaire de Margaret, qui avait pris l'initiative de lui proposer des articles. Même si elle éprouvait de la sympathie pour Margaret qui se trouvait dans une situation difficile, ajouta-t-elle, "les autres épouses de Premier ministre se font à l'idée de devoir mener une vie publique. Je trouve toute cette histoire parfaitement ridicule..."

Cela valut à Margaret de se mériter les suffrages des femmes journalistes qui alimentent en nouvelles la presse écrite et parlée et qui, à la fin de chaque année, élisent "la recrue la plus marquante du monde de l'information". Même Xaviera Hollander, "la prostituée comblée", fit triste figure à côté d'elle: elle ne recueillit qu'un seul vote.

Chapitre 12

La révolte

Les conceptions opposées des Trudeau à propos de leurs rôles respectifs étaient irréconciliables. Pierre s'était approprié celui du père et maître, tandis que Margaret avait été maintenue dans celui d'enfant et d'amante. Quand elle voulut essayer de corriger la situation en changeant ce schéma inapplicable, les conflits éclatèrent.

En mai 1975, alors qu'elle avait accompagné Pierre en Jamaïque où se tenait la Conférence du Commonwealth, Margaret se lança dans une de ses frasques les plus remarquées. Elle prononça un discours énergique sur la libération de la femme devant un groupe d'épouses des chefs d'Etat qui participaient à la Conférence.

"Mes soeurs, nous devons enterrer le docteur Spock et revendiquer l'égalité pour les femmes", commença-t-elle, abruptement. Elle précisa que la solution résidait dans la participation des hommes aux tâches domestiques, tandis que les femmes subviendraient aux besoins du ménage.

Elle expliqua ensuite à son auditoire comment elle essayait de combler le fossé des générations entre elle et son mari (les rôles parent-enfant) qui, reconnut-elle, existait bel et bien. Chaque fois que son époux adoptait une attitude propre à la vieille génération, elle le lui faisait remarquer et ils finissaient par en rire ensemble.

Elle avait bon espoir de pouvoir apporter quelques changements à son actuelle façon de vivre: "Lorsque la politique aura disparu de notre vie — peu importe à quel moment cela se produira —, j'ai l'intention de prendre davantage ma part de responsabilité." Elle alla même jusqu'à dire qu'elle attendait le jour où le Premier ministre démissionnerait et où elle pourrait assumer le rôle de soutien de famille.

A cette époque, Margaret attendait son troisième enfant; elle était enceinte de quatre mois.

Elle mena dès lors une vie retirée jusqu'à la fin de sa grossesse. Son fils naquit le 2 octobre 1975. Il reçut les prénoms de Michel Charles-Emile, en souvenir du père de Pierre.

Quelques mois plus tard, en mars 1976, Margaret accompagnait le Premier ministre en Amérique latine où, de nouveau, dans une attitude de provocation, elle vola la vedette à son mari en accumulant les manquements au protocole, faisant de nouveau la une des journaux.

Les média trouvèrent amplement matière à critiquer, d'autant plus que, avec ses gaffes, ils ne risquaient pas d'être en mal de copie. Ainsi, un jour, à Caracas, un des adjoints de Trudeau lui demanda aimablement de cesser de bavarder avec les clients de l'*Hôtel Hilton* et de rejoindre le Premier ministre. On put l'entendre s'emporter contre lui et déclarer qu'elle en avait par-dessus la tête de recevoir des ordres; néanmoins, elle finit par s'incliner. Pendant qu'elle descendait l'escalier menant à la grande salle de bal où un dîner d'Etat était donné en l'honneur de Pierre, l'orchestre se mit à jouer l'hymne canadien. Margaret s'immobilisa à l'attention avec une exagération voulue et salua. Inutile de dire que les adjoints de Trudeau n'apprécièrent pas du tout.

Mais ils ne tardèrent pas à s'apercevoir qu'il ne s'agissait que du premier d'une série d'incidents du même ordre.

Avant le banquet, Margaret avait apparemment prévenu les fonctionnaires de son intention de chanter une chanson qu'elle avait écrite tout spécialement pour madame Carlos Andres Perez, l'épouse du président du Venezuela. Leur réaction tint en deux mots: "C'est grotesque." Mais "grotesque" ou non, Margaret ne se laissa pas démonter; après tout, cette chanson était son oeuvre et elle l'avait même répétée sous la douche. Désireux d'empêcher son exhibition, l'un des assistants de Trudeau confisqua son sac à main, pensant ainsi subtiliser le texte. Elle en fut très ennuyée parce qu'il contenait un poudrier que la reine Elizabeth lui avait offert en 1971, à bord du yacht royal, le *Britannia*.

Mais Margaret, en dépit de cette intervention, dama le pion à tout le monde. Au milieu du repas, elle se leva subitement et, dans un geste de provocation, entonna en anglais la chanson interdite. Son mari et les membres du corps diplomatique canadien restèrent assis, mal à l'aise et silencieux.

Señora Perez, je voudrais vous remercier
Je voudrais vous chanter,
vous chanter une chanson d'amour
Parce que je vous ai observée,
les yeux grands ouverts,
je vous ai observée
avec un regard avide d'apprendre.
Vous êtes une mère et vos bras s'ouvrent
devant vos enfants et votre peuple.
Madame Perez, vous travaillez très fort.

Margaret avait caché le texte dans son châle.

Sans se préoccuper de la réaction des Canadiens présents, madame Perez se montra très émue et l'embrassa, les larmes aux yeux, sous les applaudissements nourris des convives vénézuéliens.

Avec madame Perez comme guide, Margaret visita un quartier pauvre des faubourgs de Caracas. Etant donné son rang et les circonstances, l'épouse du président portait un tailleur très élégant, mais Margaret tint à se singulariser. Elle arriva, vêtue d'une paire de jeans et d'une veste safari, des appareils-photos pendus autour du cou et son fils Michel, âgé de trois mois, sur le dos. Quand les paysannes se pressèrent autour d'elle, elle leur déclara avec un sourire rayonnant: "J'en ai deux autres comme lui à la maison."

Au Mexique, peu soucieuse de s'en laisser imposer par les politiciens de ce pays de "machos", Margaret égratigna leur suffisance de "mâles chauvins" en s'emparant d'un micro pour proposer un toast, lors d'un dîner officiel offert par son mari en l'honneur du président Echeverria.

A Cancún, toujours au Mexique, elle refusa catégoriquement d'être tenue à l'écart, pendant que son mari discutait avec ses assistants. Elle voulait qu'il lui consacre un peu de temps et l'emmène danser.

La prochaine étape fut Cuba où, de nouveau, Margaret joua les rebelles. Vêtue d'un vieux T-shirt datant d'un congrès du Parti libéral et portant son nom griffonné dans le dos, elle assista avec Pierre et le Premier ministre Fidel Castro à un grand rassemblement politique, à Cienfuegos. Elle trimbalait encore ses appareils-photos et prit finalement davantage de clichés des cameramen qu'ils n'en prirent d'elle.

Dans l'avion qui les ramenait du Venezuela, Margaret passa la majeure partie des trois heures que dura le vol à l'écart de son mari qui s'était installé à l'avant, dans son compartiment particulier. Elle demanda à l'un des cameramen de la photographier aux conduites de l'appareil et reprit, pour les reporters radiophoniques qui l'enregistrèrent, la chanson qu'elle avait écrite pour madame Perez.

Le lendemain de son retour à Ottawa, soit le 7 février 1976, Margaret fut réveillée à neuf heures par sa radio-réveille-matin. Au poste CKOY d'Ottawa, c'était l'heure d'une tribune téléphonique animée par Michael O'Connell. Le sujet du jour était le comportement peu orthodoxe de Margaret pendant son voyage. Elle téléphona à l'émission et nia s'être moquée de l'hymne national canadien, puis donna sa version de l'incident: "Je descendais les escaliers en courant et en entendant qu'on jouait l'hymne je me suis arrêtée aussitôt, mais les policiers continuèrent de me pousser. Je suis restée là jusqu'à la fin de l'hymne."

L'animateur lui demanda si elle avait eu l'impression "de se faire traîner comme un wagon pendant le voyage", ce à quoi elle répondit: "Non. L'horaire était extrêmement serré. Et, comme vous le savez, c'est très difficile de respecter un emploi du temps quand on allaite un bébé."

Elle révéla ensuite qu'elle était sur le point de changer sa façon de vivre. "J'ai commencé à travailler et je vais entreprendre une carrière, ce que je me proposais de faire, il y a un an."

Deux jours plus tard, elle participa encore à la même émission et reparla de ses projets, en précisant qu'elle n'avait pas reçu "beaucoup d'encouragements" parce que ce n'était pas "ce que je recherche". Elle ajouta qu'elle "procéderait sans hâte à ce changement" et allait devenir reporter photographe.

Comme si elle avait voulu donner plus de poids à ses dires, elle arriva seule au *Club national de la presse,* situé en face du Parlement, après avoir vu, en compagnie d'agents de la Gendarmerie royale, le film *Vol au-dessus d'un nid de coucou.* Là, elle prit un verre avec les journalistes et bavarda avec eux à propos de l'émission radiophonique. A un moment donné, l'adjoint de l'attaché de presse du Premier ministre estima qu'elle avait été suffisamment mise à contribution et décrocha le téléphone pour avertir monsieur Trudeau que sa femme se trouvait au Club. Celui-ci quitta précipitamment son bureau, où il participait à une réunion du caucus libéral.

Quand il arriva au Club, on entendit Margaret claironner: "Oh! que quelqu'un lui offre à boire." Ils dansèrent ensemble puis, sur les instances de son mari, elle quitta le Club à contrecoeur. Une semaine plus tard, pendant une entrevue télévisée du réseau anglais de Radio-Canada, elle expliqua que "je veux deux passeports: l'un qui dise que je suis l'épouse du Premier ministre et l'autre qui dise que je suis libre."

On se rendit bientôt compte que Margaret préférait manifestement le second.

Chapitre 13

L'Etat du soleil

Nul ne pouvait plus ignorer que le torchon brûlait entre Margaret et son mari.

En février 1976, elle partit pour la Floride pour un bref séjour qui, sous la plume des journalistes, devint un "voyage vers la liberté". Elle y avait été invitée par un entrepreneur multimillionnaire d'Ottawa, Bill Teron, que, quelque temps après, Pierre Trudeau nomma à la présidence de la Société centrale d'hypothèques et de logements. Teron possédait, à Key Biscayne, un appartement au dernier étage d'un immeuble en copropriété d'une valeur de cent quatre-vingt mille dollars, bâti sur un terrain d'une vingtaine d'acres.

Margaret quitta Ottawa la veille du retour de son mari qui avait emmené leurs deux aînés rendre visite à leurs grands-parents, à Vancouver; Michel, qui avait quatre mois, était resté avec sa mère qui le confia à une gouvernante au moment de son départ pour la Floride. Elle fit l'étape New York-Miami à bord d'un appareil des *National Airlines* et termina le parcours en voiture. A Toronto, elle déclara à la douane américaine une boîte de cigares que lui avait offerte Fidel Castro.

Aux journalistes qui, plus tard, l'interrogèrent à propos de ces cigares, elle déclara que son mari n'aimait pas la voir fumer, mais qu'elle ne dédaignait pas de savourer un cigare en prenant une tasse de café, dans le courant de la soirée.

Pour une fois, elle n'était pas accompagnée des agents de la Gendarmerie royale. Avant de quitter Ottawa, elle avait confié à des amis qu'elle avait l'intention d'écrire quelque chose sur son récent voyage à Cuba et d'illustrer son texte avec les photos qu'elle y avait prises. C'était, précisa-t-elle, Fidel qui lui en avait donné l'idée.

Elle montra également aux journalistes un collier fait de fragments de cornes de taureau enfilés sur une lanière de cuir, un autre cadeau de Fidel. Elle insista sur le fait que "c'est un gage d'amitié".

Un peu plus tôt, elle avait dit aux reporters de Miami qu'elle se trouvait en Floride pour "me reposer — pour oublier mes trois rôles d'épouse, de mère et de diplomate". A un autre, qui travaillait pour la télévision, elle déclara qu'elle voulait essayer "de bronzer un peu" et de "renforcer mes muscles après la naissance de Michel".

Du même souffle, elle ajouta qu'elle effectuait ce voyage à ses propres frais; mais, au cours d'une autre entrevue, alors qu'on lui demandait si son mari était informé de ses allées et venues, elle répondit: "Evidemment qu'il est au courant. C'est un cadeau de sa part... son cadeau pour la Saint-Valentin." Elle donna à entendre que ces vacances devraient l'aider à se remettre des dures critiques qui l'avaient accueillie à son retour d'Amérique latine; cette tournée de onze jours était restée gravée dans les mémoires davantage à cause de ses écarts de conduite que de son tact.

Au moment de quitter Ottawa, elle raconta aux journalistes: "Mon mari m'a dit de faire attention... le genre de conseil qu'on donne à une femme qui voyage seule. Mais il ne s'agit que de quelques jours de repos. Je n'aurai pas à expédier mon mari à son travail, à huit heures du matin, ni à m'occuper de trois jeunes enfants, ni à tenir un rôle officiel au 24 Sussex Drive. Je n'aurai à m'occuper que de moi-même.

"Un voyage vers la liberté, c'est, pour moi, quelques jours de congé, c'est un don de la mer", conclut-elle en faisant allusion à un livre sur la solitude de Anne Morrow Lindbergh, l'épouse de l'aviateur.

"Il est certain que ce sera très agréable de ne pas avoir de nez à moucher ou de jouets à ramasser."

Des agents de sécurité surprirent une conversation téléphonique entre Margaret et l'un des voisins de Teron. Installée dans le salon luxueusement meublé, elle discutait d'un ton déterminé. Des bribes de conversation parvinrent à d'autres oreilles: "Croyez-vous que je pourrais emprunter un de vos bateaux, demain... J'aimerais tellement retourner à Cuba... voir Castro... bof, il n'en serait pas surpris... Ce n'est qu'à environ quatre-vingt-dix milles d'ici, n'est-ce pas? Bon, voyez ce que vous pouvez faire... Merci." Et elle raccrocha.

On ignore si ce second voyage à Cuba — à titre entièrement personnel — a vraiment eu lieu. Autrement, Margaret partagea son temps entre la bicyclette, la natation, les bains de soleil et les entrevues improvisées qu'elle accordait aux journalistes américains qui ne demandaient pas mieux, bien au contraire.

L'administrateur de l'immeuble où habitait le millionnaire déclara qu'il s'était fait beaucoup de mauvais sang pour la sécurité de madame Trudeau. "J'étais mort de peur", dit-il à propos d'une promenade en bicyclette qu'elle avait faite un soir, sans escorte, et dont elle était revenue bien après la tombée de la nuit.

De retour au Canada, Margaret donna la raison de ces craintes quand elle déclara, au cours d'une entrevue, que des Cubains anti-castristes, exilés en Floride, l'avaient menacée de mort à deux reprises. "Je n'ai pas l'intention de parler longuement de ces menaces. J'étais très bien protégée et il aurait fallu être particulièrement intelligent pour pouvoir s'approcher de moi.

"Il y a beaucoup de gens, en Floride, qui sont fortement anti-cubains. Ils ont rejeté leur haine sur moi. Ils ont failli organiser une manifestation devant la maison où j'habitais, mais, heureusement, ils l'ont annulée à la dernière minute..."

En mars 1976, on annonça que Margaret enregistrerait un message publicitaire qui serait diffusé par les stations de télévison dans le cadre de la Semaine de la santé mentale (du 1er au 7 mai). Le scénario qu'elle ne se contenta pas de vérifier, mais qu'elle réécrivit, prévoyait qu'elle serait assise sur un divan dans le spacieux salon du 24 Sussex Drive, entourée de ses enfants, avec un grand piano en arrière-plan; au moment de l'enregistrement, elle était vêtue d'une blouse et d'un pantalon. De sa voix de petite fille, elle déclarait: "La maladie mentale, c'est vrai, c'est réel. Cependant, dans la majorité des cas, elle peut être traitée. Un des meilleurs remèdes est l'amour de la famille, la compréhension de tout l'entourage. L'Association canadienne pour la santé mentale essaye de faire comprendre ces exigences et elle a besoin de votre aide."

Comme elle avait été soignée en psychiatrie, le message ne pouvait que porter.

Pendant le filmage, Justin qui avait cinq ans à l'époque, arriva dans le salon, frais et dispos après sa sieste. Il tenait une boîte de raisins secs enrobés de chocolat. Comme n'importe quelle mère, Margaret l'avertit gentiment de ne pas les éparpiller sur le tapis.

Margaret semblait traverser une période pendant laquelle il lui fallait absolument se faire voir et entendre. Afin de s'assurer d'un auditoire à la grandeur du pays, elle recourut de nouveau aux ondes et enregistra un message en faveur de l'orchestre philarmonique de Hamilton qui lançait une campagne d'abonnements et de souscriptions. Ses trois enfants étaient avec elle, mais seuls les deux aînés, Justin et Sacha, furent filmés.

Le message fut diffusé une quinzaine de fois pendant deux semaines. Margaret et ses enfants chantaient une version abrégée de l'*Hymne à la Joie,* tirée de la *Neuvième Symphonie* de Beethoven.

Le mois suivant, elle se lança dans un tout autre rôle. Cette fois-là, elle marcha en tête d'une manifestation pour la dépollution de l'eau. "Pourquoi je m'intéresse à la dépollution de l'eau? Je ne fais pas boire à mes enfants de l'eau sale, tirée des égouts, et je ne vois pas pourquoi les autres mères, elles, y seraient obligées. Nous vivons sur cette planète et, à ce titre, nous avons le droit d'avoir de l'eau potable."

Il avait été prévu que Robert Redford prendrait la tête de la manifestation qui défilerait dans les rues de Vancouver; mais comme il ne vint pas, Margaret le remplaça. Elle marcha d'un pas si rapide que les quelque milliers de personnes qui la suivaient arrivèrent au *Habitat Forum* avec une avance de vingt minutes sur l'horaire.

Dans son discours, elle déclara: "Je veux voir le Canada prendre l'engagement formel de participer financièrement à l'épuration des réserves en eau potable de la planète."

Cette déclaration n'eut pas l'heur de plaire au ministre des Affaires urbaines de l'époque, qui affichait une expression quelque peu embarrassée. Car le Canada n'avait encore jamais consacré un seul sou à la dépollution des eaux et cela n'entrait pas dans le cadre des politiques gouvernementales — ce n'était rien d'autre que le point de vue, sans le moindre caractère officiel, de Margaret Trudeau.

Mais, une fois de plus, celle-ci avait dit ce qu'elle voulait dire. Le sénateur Ray Perrault, de Vancouver, l'avait, lui, parfaitement comprise: "Celui qui s'imagine qu'on peut mener Margaret Trudeau par le bout du nez ne connaît ni Jimmy Sinclair ni les filles Sinclair. Ils ont du sang écossais dans les veines et peuvent se montrer d'une obstination sans bornes."

De toute évidence, Margaret avait l'impression que ses talents et capacités "restaient en friche" parce que, ni chez elle ni en public, on ne lui permettait de les mettre à profit. Elle voulut donc prouver combien elle avait à coeur d'explorer ses ressources personnelles en entreprenant quelque chose qui lui serait entièrement nouveau.

Le 2 juin 1976, elle interviewa, sur les ondes du réseau anglais de Radio-Canada, Buckminster Fuller, architecte et concepteur du dôme géodésique. Un extrait de vingt-deux minutes fut diffusé au cours de l'émission "Take Thirty".

Après avoir présenté, en ces termes, Fuller qui était âgé de quatre-vingt-un ans: "Voici un être humain admirable. Voici quelqu'un qui possède une étonnante capacité d'aimer des choses qui sont, pour moi, d'une extrême importance", elle renversa les rôles et devint l'interviewée.

L'idée d'inviter Margaret à l'émission avait pris naissance dans les bureaux de Radio-Canada, à Vancouver. Un recherchiste avait été dépêché auprès de madame Trudeau pour lui demander si le projet l'intéressait, mais, incapable de franchir le barrage de secrétaires, il était revenu bredouille.

Rick Gutzi, le réalisateur, décida que la situation exigeait qu'on y mette des formes. Comme le nom de Buckminster Fuller avait beaucoup plus de poids que le sien, il l'envoya voir Margaret qui accepta de servir d'animatrice.

Le lendemain, Blaik Kirby, critique de télévision du *Globe and Mail,* qualifia les débuts de Margaret de "complètement désastreux"; il lui reprocha de s'être conduite davantage comme une ex-étudiante que comme un interviewer, en se prosternant aux pieds de Fuller. Il parla de son manque de maîtrise tout au long de l'entrevue et de la façon dont elle exposait ses propres idées et opinions au lieu d'interroger son invité.

Chapitre 14

Une nouvelle marotte: la photographie

Dès qu'il s'agissait de ses talents de photographe, l'ego de Margaret enflait à vue d'oeil. Vers la fin de 1976, elle commença à se percevoir non plus comme une épouse et une mère, mais comme une photographe particulièrement douée.

Elle n'avait pas renoncé, loin de là, à son projet de devenir chasseur d'images et de faire, un jour, partie de ce groupe de "bonshommes" qui parcourent le monde en tous sens. Elle aimait rencontrer des gens, surtout des personnalités, mais sans les contraintes imposées par le protocole.

La photographie devint sa nouvelle passion. Son mariage ne battait plus que d'une aile, ce qui la renforça dans sa décision d'acquérir une formation professionnelle qui lui permettrait d'échapper à une situation de totale dépendance et de se débrouiller toute seule.

Bien entendu, Margaret savait que, jamais encore, une épouse de Premier ministre n'avait entrepris une carrière qui lui fût propre et sans lien aucun avec son principal rôle, lequel consistait à soutenir sans réserve son époux dans ses aspirations et activités politiques.

De toutes les femmes qui l'avaient précédée dans cette fonction, une seule s'était affirmée en tant qu'individu. Bien avant l'avènement du mouvement de libération de la femme, Annie Affleck, originaire de Halifax et qui épousa Sir John Thompson en 1870, fonda le Conseil national des femmes. Elle travailla en étroite collaboration avec la comtesse d'Aberdeen et accéda finalement à la présidence du mouvement.

Mais la plupart des autres épouses passèrent à la postérité soit à cause de la durée de leur union — Sir Charles Tupper et sa femme Frances furent mariés pendant soixante-cinq ans —, soit à cause de leur amour indéfectible pour leur mari. Quand mourut Harriet Moor, qui avait épousé Mackenzie Bowell en 1847, celui-ci affirma, étouffé par le chagrin: "Mon coeur s'en est allé avec elle."

Margaret déclara, un jour: "Si je peux aider mon mari à être en pleine possession de ses moyens intellectuels pour qu'il soit davantage en mesure de résoudre les problèmes, et ce, en le rendant heureux, en le gardant en bonne santé, en lui assurant une vie de famille agréable, en le nourrissant bien, alors, je suis d'accord, j'accomplis ma tâche. Mais j'espère pouvoir également faire quelque chose pour moi-même", conclut-elle.

Quand Margaret avait passé en revue les divers moyens d'exprimer sa créativité, elle n'avait pas songé tout de suite à la photographie. Quelques mois auparavant, elle avait pensé écrire, mais y avait renoncé.

En janvier 1977, Margaret Trudeau s'inscrivit en photographie au collège communautaire Algonquin, comme étudiante à temps plein. Cela voulait dire qu'elle ne pourrait plus remplir de fonctions officielles ou accompagner son mari à l'extérieur de la ville. Quant à ses trois jeunes enfants, c'était leur nouvelle gouvernante, Leslie Kimberley, qui en avait la charge.

Quand Werner Reitboeck, un Australien célibataire, barbu et séduisant, apprit qu'il compterait l'épouse du Premier ministre au nombre de ses étudiants, il éprouva quelques inquiétudes. Comme elle s'était inscrite en janvier, Margaret avait manqué la première session qui avait début au mois de septembre précédent et qui était très importante parce qu'elle portait essentiellement sur la partie technique du cours.

Néanmoins, le professeur et quelques-uns de ses collègues prirent pour acquis qu'elle connaissait déjà les rudiments de la photographie, puisqu'elle s'inscrivait avec trois mois de retard. Certains, parmi les étudiants, estimèrent que, pour être acceptée, elle devrait maîtriser des techniques de base comme l'éclairage et le développement. Ceux qui exprimèrent cette opinion se virent répondre qu'elle aurait probablement à passer un examen écrit avant d'être autorisée à suivre le cours.

On ignore toutefois si tel fut bien le cas. Mais il semble qu'il y ait eu un sérieux écart entre la réalité et ce que les journaux avaient raconté à propos de ses connaissances en photographie. Tout le monde avait lu qu'elle avait été l'élève du photographe Sherman Hines, à Halifax. Celui-ci avait été le premier, au Canada, à adopter un style avant-gardiste dans l'art du portrait et les Trudeau l'avaient choisi pour prendre des photos de famille au lac Harrington. On savait également que Margaret possédait des appareils très perfectionnés.

La *United Press International* diffusa la nouvelle suivante: "Quand Margaret et Pierre se rendirent à Bruxelles en octobre dernier, un messager du roi vint présenter de sa part un appareil-photo à madame Trudeau. Cet appareil franchit, par la suite, les douanes canadiennes à deux reprises sans qu'aucun droit ne soit acquitté.

"Il s'agissait d'un Nikon F2 reflex à objectif simple avec un photomètre incorporé, un zoom 28 mm actionné par un moteur, un flash automatique et électronique, de marque Braun, ainsi qu'un jeu complet de filtres, dont l'étui, à lui seul, vaut environ trois cents dollars.

"D'après la loi, il n'y a qu'une seule personne, au Canada, pour qui les cadeaux offerts par des chefs d'Etat sont francs de tout droit: c'est le représentant de la reine, le Gouverneur général Jules Léger.

"Mais la tradition veut que le Premier ministre du Canada, tout comme les diplomates en poste à l'étranger, ne paye aucun droit sur les cadeaux qu'il destine à ses homologues. Dans le cas de l'appareil photographique, par exemple, il aurait fallu acquitter, à l'époque, un droit de douane de dix pour cent, ainsi que la taxe de vente qui était de douze pour cent."

Margaret était très fière de ses appareils. "Elle considérait que son équipement était parfait pour elle, dit Reitboeck, mais quand on parle de photo, deux ou trois mille dollars, ce n'est rien. Il n'y a pas de limites dans ce domaine."

Margaret reçut, semble-t-il, un second Nikon, offert cette fois par le fabricant. Ce modèle fit l'envie de toute la classe parce qu'il n'était pas encore disponible sur le marché canadien.

Néanmoins, c'était Pierre qui possédait la Cadillac des appareils-photos, un Hasselblad d'une valeur approximative de dix mille dollars, avec tous ses accessoires. Dans son cas, c'étaient les Allemands qui le lui avaient offert.

Aux Etats-Unis, aucun fonctionnaire fédéral n'a le droit d'accepter quoi que ce soit d'un autre pays. Le cas échéant, il doit remettre le cadeau au gouvernement après l'avoir fait répertorié. Il en va tout autrement au Canada, bien qu'il y existe certaines règles qui ne sont manifestement pas appliquées. Ainsi, dans le cas des Trudeau, les cadeaux ne se limitèrent pas aux appareils photographiques; il y eut également le voyage au Japon.

Après les critiques des média, le Premier ministre fit préparer un projet de règlement, mais cela ne mit pas fin pour autant à la controverse qui faisait rage autour de la réputation des Trudeau.

Evidemment, Margaret voulait à tout prix se servir du Hasselblad, mais Trudeau refusa de le lui prêter, prétextant qu'elle n'était pas assez calée en photographie pour qu'il lui confie un appareil d'un tel prix. C'est pourquoi celui-ci resta dans son étui, à Sussex Drive, inutilisé, sans plus de valeur qu'un appareil d'un modèle démodé.

En fait, Margaret préférait se servir d'un petit Minox très simple, complété par un jeu de lentilles, et qu'elle traînait partout.

Puis ce fut le début des cours. Margaret arriva en retard le premier jour; elle entra discrètement dans la classe et s'assit en gardant la tête baissée. Elle semblait très intimidée, mais, au bout d'un moment, elle se reprit et commença à poser des questions.

Les étudiants ne la quittèrent pas des yeux de toute la journée. Ils avaient tous plus ou moins entendu parler de ses débuts en photographie par leur professeur ainsi qu'à la télévision et dans les journaux. C'est pourquoi quelques-uns d'entre eux se l'étaient imaginée comme une étudiante déterminée à devenir une photographe professionnelle, malgré les critiques et le protocole qu'il lui fallait défier.

Werner entreprit d'interroger les étudiants, interrompant du même coup leur "contemplation" de Margaret. Les questions portaient sur le développement, l'éclairage, l'agrandissement, l'exposition à la prise de vues et les diapositives. A chaque nouveau point soulevé par Werner, Margaret paraissait encore plus désorientée. Elle se rendait compte que les autres suivaient facilement et, d'après leurs réponses, qu'ils avaient accumulés énormément de connaissances pendant la première session qu'elle avait manquée.

Durant les deux mois qui suivirent, elle ne cessa de poser des questions. "On aurait dit qu'elle essayait de rattraper le plus possible son retard du début de l'année", commenta Werner. De toute façon, quel bagage faut-il posséder avant de pouvoir suivre un cours de ce genre?

"Certaines de ses questions étaient d'une telle naïveté que, parfois, nous ne savions plus où nous mettre", raconta l'un des étudiants.

En fin de compte, il s'avéra que les connaissances de Margaret portaient essentiellement sur la prise de vues comme telle et qu'elle ignorait à peu près tout des aspects techniques du métier. Et, à la consternation générale, elle ne savait même pas, au début de la session, la différence entre un fixateur et un révélateur, ou entre un photographe et un technicien en photographie.

L'"enseignement" reçu aux pieds de Sherman Hines, ainsi qu'on finit par l'apprendre, s'était résumé à une ou deux heures de discussion sur des points de détail, un jour que Margaret lui avait rendu visite à son studio. Et il va de soi qu'il n'y a aucun dénominateur commun entre la compétence ou les qualifications et le fait de posséder des appareils coûteux. Compte tenu de tout cela, Margaret se trouvait incontestablement en position d'infériorité.

Malgré l'atmosphère trépidante et plutôt impersonnelle du collège communautaire, elle en devint rapidement l'étudiante la plus célèbre, mais ce ne fut pas pour ses résultats car si elle ne se trouvait pas à la queue de sa classe, elle n'était pas non plus parmi les premiers.

"Je ne l'ai pas trouvée aussi sûre d'elle-même que certains de ses camarades, constata Reitboeck. Il est vrai que les autres possédaient des bases solides et que le cours est extrêmement technique."

Werner et Margaret se rencontraient quotidiennement par la force des choses, et certains étudiants ne les perdaient pas de vue. Il fut assez ennuyé quand elle commença à lui faire part de ses difficultés conjugales. "Elle me racontait beaucoup de choses. Je me souviens qu'une fois, pendant un séjour qu'elle fit avec le Premier ministre, en Californie je crois, une manifestation eut lieu devant leur hôtel à propos de je ne sais trop quel problème. Margaret, par plaisanterie, descendit l'escalier, se dénicha une pancarte et rejoignit les marcheurs qui déambulaient sous les fenêtres de son époux. Heureusement pour elle, il n'y eut aucune arrestation.

"J'ai cru, à un moment donné, que nous pourrions devenir des amis, mais cela ne s'est pas produit, poursuivit-il avec un soupçon de regret. Je ne crois pas que je la reverrai. Si je pense à elle, maintenant, c'est comme à une ancienne étudiante. C'est une personne très chaleureuse, très complexe", conclut-il, d'un air songeur.

Pendant les dix semaines que dura le cours, Margaret prit comme modèles non seulement ses trois fils, mais également son mari. Les étudiants se souviennent, entre autres, d'une photo du Premier ministre en train de plonger dans la piscine.

Margaret amena à quelques reprises ses enfants au collège pour les montrer. Chaque fois, elle était escortée d'un officier de la Gendarmerie royale, mais, d'habitude, elle était libre d'aller et venir comme bon lui semblait.

"Margaret nous montra aussi d'excellents clichés qu'elle avait pris de Sophia Loren, raconta l'un de ses camarades. Elle aurait pu aller très loin si elle l'avait vraiment voulu."

L'un des événements marquants de l'année était le week-end que les étudiants passaient, chaque hiver, dans un grand chalet d'une seule pièce, loué pour la circonstance et situé près du lac Blanc, au nord d'Ottawa.

Tout le monde était arrivé dès le vendredi soir et comme, le samedi après-midi, Margaret n'avait toujours pas donné signe de vie, on prit pour acquis qu'elle ne viendrait plus. Les conversations allaient bon train tandis que, réunis autour du feu, les étudiants mangeaient une goulash en essayant de deviner si Margaret s'était vu opposer un "non" catégorique par son mari.

C'était le dernier week-end du mois de février 1977 et toute la région d'Ottawa était enfouie sous la neige. Il y en avait partout, dans les champs, sur les toits des chalets, à la surface des lacs; elle s'accrochait à la chevelure de Margaret qui, vers midi ce samedi-là, avançait péniblement vers le chalet où les autres étudiants étaient déjà à l'abri. Elle se guidait d'après un plan détaillé qui indiquait le chemin à suivre depuis la route où elle avait laissé sa Volkswagen Rabbit jusqu'au lieu de rendez-vous. C'était Larry, l'un de ses camarades de classe, qui l'avait minutieusement dessiné à son intention et le lui avait apporté au 24 Sussex Drive, le jeudi précédent; malgré ça, Margaret avait trouvé le moyen de se perdre.

Mais elle s'en sortit de façon presque miraculeuse: en effet, quelques-uns des garçons étaient partis en raquettes acheter de l'essence pour la scie à chaînette afin de pouvoir alimenter le feu et ils tombèrent sur elle, tout à fait par hasard, d'autant plus qu'elle était en train de s'éloigner du chalet et commençait à ressentir les effets du froid.

Comme d'habitude, elle se singularisait par sa tenue: elle portait des jeans très élégants qui moulaient sa jeune silhouette, une veste doublée de fourrure et de luxueuses bottes de suède brun foncé qui, de toute évidence, n'avaient jamais été conçues pour les rigueurs de l'hiver. Comme elle n'avait cessé de s'enfoncer dans les congères, elles étaient pleines de neige. Deux des garçons durent l'aider à marcher jusqu'au chalet. Là, ils la débarrassèrent de son sac à dos et l'aidèrent à retirer sa veste. Puis, tout le monde se mit à table pour le dîner qui se composait de spaghetti et d'une sauce qu'un des membres du groupe avait préparée à l'avance.

"Margaret aida à débarrasser la table, laver la vaisselle et faire le café; les autres n'en croyaient pas leurs yeux", raconta Werner Reitboeck. Ils passèrent le reste de la soirée à boire de la bière et du vin, à jouer aux cartes et à fumer de la marijuana. Margaret avait apporté sa quote-part, soit cinq bouteilles de vin.

Les propriétaires du chalet gardaient des abeilles dans le grenier et, à cause de la chaleur du feu de bois, de la fumée de cigarette, etc., celles-ci crurent que le printemps était arrivé et, apparemment désorientées, s'envolèrent vers le froid. Quelques-unes descendirent au rez-de-chaussée pour une distribution de piqûres.

Comme le chalet ne comportait qu'une seule grande pièce, chacun se choisit un coin et s'y installa avec son sac de couchage. Margaret voulut coucher sur le divan. "Elle se déshabilla très pudiquement à l'intérieur de son sac", confia un étudiant désappointé.

Le lendemain matin se passa à prendre des photos de ces étonnants paysages d'hiver et à remettre le chalet en ordre

Margaret en compagnie de son mari du temps des jours heureux. Série de hockey Canada-URSS, septembre 1972. (Canada Wide Feature Service Ltd.)

Pierre et Margaret en compagnie de Ted Kennedy, en septembre 1975. (Keystone Press Agency Ltd.)

Margaret serre la main d'un des joueurs de hockey de la série Canada-URSS. (Canada Wide Feature Service Ltd.)

Le Premier ministre canadien, Pierre E. Trudeau, et le Président italien, Giovanni Leone en compagnie de leurs épouses, Donna Vittoria et Margaret, à Rome en 1976. (Canada Wide Feature Service Ltd.)

Margaret en compagnie de Mme Carter, femme du Président des Etats-Unis, lors de sa visite à Washington en février 1977. (Canada Wide Feature Service Ltd.)

Margaret dans une attitude pensive: elle faisait partie du jury d'une exposition de dessins d'enfants, à Toronto, en 1972. (CP Wirephoto)

Margaret et son fils aîné, Justin Pierre, dégustant de la tire d'érable. Avril 1973. (Canada Wide Feature Service Ltd.)

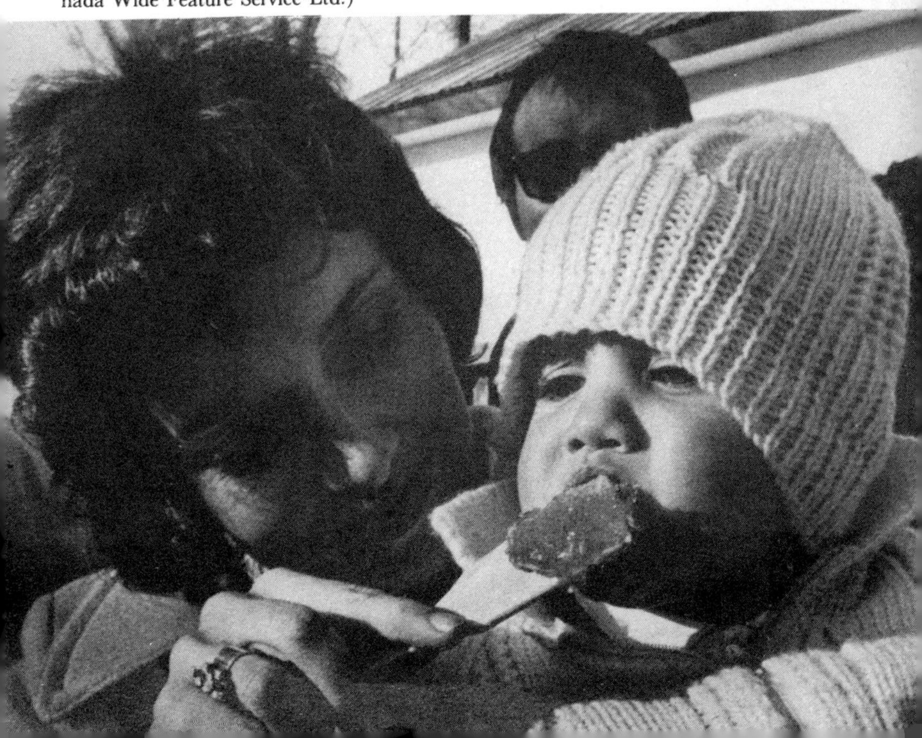

Margaret, accompagnée de Justin et portant Michel dans ses bras, arrivent à Boston lors de la visite imprévue qu'elle y fit en 1977. (Wide World Photo)

Fidel Castro s'amuse avec Michel sous le regard souriant de Margaret. Elle rendit visite au Premier ministre cubain dans le cadre de la tournée officielle que les Trudeau firent en Amérique latine, en 1976. (CP Photo)

Margaret Trudeau au Musée Hirshorn de Washington, en février 1977. On voit sur la photo à droite de Mme Trudeau, Mme Joan Mondale, Mme Jane Faulkner, femme du ministre canadien des Sciences et M. S. Dillon Ripley, secrétaire du Smithsonian Institution. (Canada Wide Feature Service Ltd.)

Le 8 mars 1977, Margaret rencontre cette mignonne petite fille au moment de la fameuse "affaire" avec les Rolling Stones. (Canada Wide Feature Service Ltd.)

Margaret Trudeau et Bruce Nevins. (Keystone Press Agency Ltd.)

Margaret, de passage à New York, le 10 mars 1977, visite le studio d'un photographe de Manhattan. (Canada Wide Feature Service Ltd.)

Margaret Trudeau et Bruce Nevins assistent au marathon de New York dans Central Park. Octobre 1977. (Canada Wide Feature Service Ltd.)

Margaret Trudeau se trouve en France pour y effectuer un reportage sur une marque d'eau minérale. (Pono Presse/Gamma)

Margaret Trudeau et Barry Landau arrivent à un restaurant de New York, le 6 novembre 1977, après avoir assité à la représentation de la pièce *Golda,* racontant la vie de l'ex-Premier ministre israélien. (Canada Wide Feature Service Ltd.)

Margaret lors de la conférence de presse de *Kings and Desperate Men*. (Canada Wide Feature Service Ltd.)

Margaret durant cette même conférence de presse. (Canada Wide Feature Service Ltd.)

Margaret Trudeau et Patrick McGoohan lors de la conférence de presse du film *Kings and Desperate Men*. Décembre 1977. (Canada Wide Feature Service Ltd.)

Margaret et Jean-Luc Fritz à Cassis. Août 1978. (Pono Presse/Gamma).

Margaret tournant sur la Côte d'Azur. Août 1978. Elle y a découvert un ami, Jean-Luc Fritz. (Pono Presse/Gamma).

après la fête de la veille. Puis tout le monde reprit le chemin d'Ottawa vers quatorze heures trente.

Pour Margaret, ce retour mettait fin à une autre phase de sa vie conjugale et, encore plus sûrement, à sa vie d'étudiante. Elle réapparut à Sussex Drive juste assez longtemps pour préparer sa prochaine visite qui n'avait pas été prévue par le protocole et qui, davantage que les précédentes, montra à quel point l'épouse du Premier ministre était "dans le vent". Elle avait pris ses dispositions pour passer le week-end suivant à Toronto avec d'importants personnages venus de Grande-Bretagne: les Rolling Stones. Après sa rencontre avec eux, Margaret ne manifesta plus aucune vélléité de reprendre ses études; elle ne revint au collège que pour récupérer ses affaires. Bien entendu, elle apporta tous ses appareils-photos, y compris son Minox, au concert rock désormais tristement célèbre.

Chapitre 15

L'amorce de la rupture

Le 13 janvier 1977, un quotidien d'Ottawa publia une petite annonce qui était peut-être un signe annonciateur de la séparation des Trudeau: "Importante situation chez un haut-fonctionnaire. On demande une personne dans la vingtaine ou la trentaine pour s'occuper à temps plein de jeunes enfants, sous la surveillance attentive des parents. Devra savoir organiser des jeux. Une bonne maîtrise de l'anglais et du français serait souhaitable. Fera partie d'un personnel nombreux et vivra avec cinq autres femmes. Chambre très claire avec une belle vue et pension complète. Excellents gages, vacances et possibilité de voyager. Références exigées."

Les candidates furent nombreuses, surtout après que les journaux eurent révélé que l'employeur habitait au 24 Sussex Drive.

Le poste fut accordé à Leslie Ellen Kimberley, une étudiante de l'université York, âgée de vingt-deux ans et la seconde d'une famille de cinq enfants. Elle habitait Scarborough, une petite ville au nord-est de Toronto. Il paraît que Margaret l'interviewa à plusieurs reprises et lui fit même rédiger un texte sur ce qu'elle attendait de la vie.

Leslie n'avait d'autre expérience que d'avoir pris soin de ses frères et soeurs et d'avoir travaillé pendant un an à Paris dans une famille canadienne. C'est pourquoi elle était parfaitement bilingue.

Quand on lui demanda combien de temps elle pensait passer avec les Trudeau, elle répondit: "Je ne suis pas très certaine du futur. Ils (les Trudeau) m'ont parlé d'un an et demi au minimum, alors j'ignore tout de ce que je pourrais faire ensuite. Il est possible que l'emploi me plaise tellement que je reste plus longtemps."

Au même moment, une nouvelle bonne à tout faire vint s'ajouter au personnel. Elle s'appelait Monica Mallon, avait vingt-deux ans et venait de London, en Ontario. Ses qualifications étaient particulièrement exceptionnelles pour une "bonne à tout faire" puisqu'elle détenait un baccalauréat en psychologie et en anglais. Le moins qu'on puisse dire, c'est qu'elle était plus que douée pour ce genre d'emploi.

Tout le monde se demandait quelle serait la prochaine lubie de Margaret. On ne pouvait guère en vouloir au public si, chaque fois qu'elle abordait une nouvelle étape de sa tumultueuse carrière, il estimait qu'elle n'aurait pas suffisamment de ténacité pour terminer ce qu'elle avait entrepris. On l'avait vue tâter un peu de l'écriture, des entrevues télévisées, du reportage photographique, s'intéresser à la santé mentale et aux centres hospitaliers de jour, faire de la publicité télévisée et s'occuper de l'éducation de ses enfants. Chaque fois, elle s'était intéressée un bref moment à sa nouvelle activité, puis était passée à autre chose.

Chapitre 16

La seconde dame de Washington

Dès février 1977, Margaret connut de nouveau une vie plus animée, alors qu'elle se rendit deux fois en visite officielle à Washington en l'espace de trois semaines.

La première fois, ce fut sur l'invitation de S. Dillon Ripley, secrétaire du *Smithsonian Institute*. Il lui avait demandé d'inaugurer l'exposition de quatorze artistes canadiens contemporains de grande renommée, présentée au rez-de-chaussée du *Musée Hirshorn,* dans le cadre d'un symposium sur la culture canadienne qui dura deux semaines. Malgré le fait qu'elle ne passa que quarante-huit heures dans la capitale américaine, Margaret eut ainsi l'occasion de se reposer un peu de ses cours de photographie. Elle voyagea en avion, faisant escale à Baltimore. Au cours du premier après-midi, elle rencontra, chez elle, madame Walter Mondale à qui elle offrit un tableau de Fenwick Lansdown, un peintre d'oiseaux originaire de la Colombie-Britannique, dont l'oeuvre s'intitulait: "Fauvette noire et blanche".

Sa visite à la Maison Blanche, où elle fut accueillie par madame Rosalynn Carter, fut une réussite. Elle portait un élégant manteau de vison et des bottillons de suède à talons hauts. Plusieurs épouses de diplomates canadiens et américains l'accompagnaient.

Le lendemain, elle déclara à propos de madame Carter: "Elle m'a beaucoup plu; c'est vraiment quelqu'un de très bien. Bavarder avec elle n'a rien d'intimidant. J'ai à peu près le même âge que Jack, son fils aîné, et il semble que nous ayons vécu les mêmes expériences." Elle ne s'étendit pas sur ces "expériences".

Madame Carter, poursuivit-elle, lui avait fait part de son intention de collaborer étroitement à la cause de la santé mentale et non de se contenter simplement de prêter son nom.

Un peu plus tard dans la journée, on put juger des dons d'improvisation de Margaret lorsqu'elle prit la parole devant les deux cents personnes invitées à l'exposition d'art canadien.

Quand elle fut sur l'estrade, la nervosité l'envahit et elle fut incapable de se rappeler son texte. "Je suis désolée, je ne me souviens de rien", s'excusa-t-elle. Elle enchaîna alors avec un discours de son cru qui fit lourdement ressortir son inexpérience, surtout quand elle parla des problèmes auxquels elle s'était heurtée avec bon nombre d'Américains. "Il n'y a, à mon avis, aucune frontière ni entre nos deux pays ni entre nos deux cultures." A ces mots, les Canadiens présents dans la salle bondirent sur leurs chaises parce que le but premier de l'exposition était de montrer aux Américains que le Canada possède une culture et une identité distinctes des leurs.

Les espoirs de Margaret n'avaient rien perdu de leur force, comme on put le voir le lendemain lorsque Pat Mitchell l'interviewa dans le cadre de "Panorama", une émission de l'après-midi au cours de laquelle des personnalités discutent en studio. "Si Pierre veut rester en politique, je suis prête à l'appuyer sans réserve. Je veux qu'il prenne sa décision en évaluant si, oui ou non, il a tenu ses promesses et atteint les buts qu'il s'était fixés", déclara-t-elle. Elle continua en ajoutant qu'elle était "réelle et n'ai rien d'une poupée en plastique".

Le jour suivant, Margaret rentra à Ottawa et reprit ses cours au collège Algonquin. Mais les pressions qui pesaient sur elle commencèrent à se faire sentir quand elle parla à l'un des étudiants des relations tendues qu'elle avait avec son mari. Puis, avant même qu'elle ait pu se replonger dans ses études, elle dut repartir pour une seconde visite à Washington.

Celle-ci était beaucoup plus officielle que la première, étant donné que Margaret devait accompagner son mari à une soirée de gala à la Maison Blanche et à une séance d'un comité mixte du Congrès où il prononcerait un discours. Son premier échec n'avait pas guéri Margaret de son besoin de voler la vedette.

Elle s'arrangea pour se faire remarquer par son irrespect pour l'étiquette vestimentaire: elle arriva au dîner d'apparat donné par les Carter, vêtue d'une courte robe blanche d'après-midi.

Rétrospectivement, le point marquant de cette visite fut bien davantage la longueur des jupes de Margaret que le discours soigneusement préparé que son mari fit devant le Congrès américain.

Plusieurs semaines après son retour au Canada, Pierre admit qu'elle l'avait relégué dans l'ombre: "Quand j'étais à Washington, ce fut encore Margaret, et non moi, qui fit les manchettes."

Le profond désir et le besoin qu'avait Margaret de se conduire à la façon des gens de la génération des enfants des fleurs devinrent manifestes quand, le lendemain de la soirée de gala, elle déclara: "On a prétendu que si j'ai mis une robe courte pour assister au dîner du Président, hier soir, c'est parce que j'ai de longues jambes. Eh bien, pourquoi pas?"

Puis elle précisa qu'elle possédait cette robe depuis six ans déjà. "Cette robe faisait partie de mon trousseau et je ne l'avais portée qu'une seule fois, à l'occasion d'une fête que donnèrent le gouverneur général et son épouse, un peu comme une réception de mariage sans formalité.

"C'est une superbe robe, mais j'avais vingt-deux ans quand je me suis mariée et je la trouvais beaucoup trop habillée et élégante, même si je savais que c'était le genre de toilette qui convenait à une épouse de Premier ministre; c'est du reste pourquoi je l'ai conservée. J'aurais pu choisir bien d'autres toilettes, poursuivit-elle, mais je voulais porter du blanc et que la robe ait une signification précise pour moi."

La robe controversée avait été dessinée par Peter Plunkett-Norris et Isabel Anderson, de Vancouver-Ouest.

Cette soirée sembla consacrée aux premières. Car ce fut, sans contredit, la première fois que la troupe "The Young Columbians" de l'école de théâtre de Columbia chanta, à la Maison Blanche, une chanson de protestation contre la guerre du Viet-Nam: *Where Have All The Flowers Gone?*

Le lendemain soir, ce fut au tour des Trudeau d'offrir une réception à l'ambassade canadienne. La liste des invités comportait des vedettes aussi prestigieuses que Elizabeth Taylor et son nouvel époux, John Warner, de même que l'auteur et humoriste Art Buchwald; il y avait également l'habituel aréopage de juges de la Cour suprême, de politiciens et de bureaucrates. Ce soir-là, l'hôtesse revêtit un fourreau orné de sequins.

Chapitre 17

New York, New York

En mars 1977, immédiatement après l'incident des Rolling Stones, les événements se précipitèrent à un rythme vertigineux. Ce fut l'époque des voyages qu'effectua Margaret à New York et à Boston, avec ou sans ses enfants, ainsi que des mises au point et des démentis que le bureau du Premier ministre émettait presque quotidiennement. Et Margaret devint, du jour au lendemain, une célébrité internationale.

Etait-elle consciente de son statut de personnage public? Sur le plan politique, devenait-elle un poids pour son mari? Cherchait-elle à lui nuire? C'était là quelques-unes des questions soulevées par les journalistes et les commentateurs.

Nombre de ses actions faisaient ressortir les contradictions qui commençaient à se dessiner dans son caractère. Ainsi, elle pouvait adopter un comportement enfantin, charmant et en même temps sincère, tandis qu'à d'autres moments elle se montrait dépourvue de tact, égocentrique et même calculatrice.

Son attitude était loin de plaire à une forte proportion de la population canadienne. Tout donnait à penser que sa vie publique, pendant les premiers mois de 1977, n'avait été qu'une accumulation de *faux pas**.

Quelques jours après l'histoire avec les Stones, Margaret s'échappa de nouveau en leur compagnie, toujours sans son mari, mais cette fois vers New York. Mick Jagger allait rendre visite à sa fille qui habitait Manhattan; quant à Margaret, personne ne semblait connaître le vrai motif de cette visite imprévue. Les membres du bureau du Premier ministre ne savaient même pas qu'elle avait quitté l'*Hôtel Harbour Castle,* à Toronto. Interrogé à ce sujet, l'un des porte-parole reconnut: "Nous essayons de découvrir où elle se trouve."

Margaret refit surface lors d'une représentation du Eliot Feld Ballet Company, au *City Center Theater*. Elle portait une robe de soie bourgogne et une courte veste de vison, et était accompagnée de Yasmine Ali Khan dont elle avait fait la connaissance à Paris où le frère de Yasmine, un ami de Pierre, les avait présentées l'une à l'autre.

D'après ce qu'elle raconta à ses camarades de classe, elle s'était rendue à New York pour essayer de décrocher l'emploi d'assistant photographe qui était offert chez le réputé Richard Avedon.

Quand Margaret descendit du taxi devant le studio d'Avedon, elle chercha dans un grand calepin noir les trois dollars qu'elle devait au chauffeur. En voyant tous les journalistes massés sur le trottoir, celui-ci comprit qu'il avait conduit une célébrité et s'enquit de son identité. Après que les journalistes l'en eurent informé, il demanda un autographe à Margaret qui le lui donna. Puis elle déclara aux reporters: "Je n'ai aucun commentaire à faire sur mon mariage ou sur ma vie."

Captivée, elle observa pendant six heures Richard Avedon qui, dans son studio du East Side, photographiait des

---

* En français dans le texte.

mannequins pour des annonces publicitaires de la compagnie Revlon.

On demanda à Werner, son ancien professeur, ce qu'il pensait de cette visite chez Avedon et il répondit: "Etant donné ses connaissances restreintes en photographie, je ne sais pas trop ce qu'elle a pu réellement retirer de cette séance. N'importe qui, comme elle l'a sûrement fait, peut regarder Avedon prendre des clichés sous divers angles, mais il n'est guère possible de progresser ainsi sans une bonne formation technique.

"J'ignore comment Margaret réagirait si elle se trouvait dans une situation difficile. Je veux dire que, si elle avait un sérieux problème d'éclairage à résoudre, il lui faudrait, pour en venir à bout, des connaissances techniques beaucoup plus poussées que celles qu'elle possède effectivement."

Il est probable que Avedon estima, lui aussi, que Margaret manquait trop d'expérience parce qu'il ne l'engagea pas; mais, après tout, peut-être n'avait-il pas d'emploi disponible pour une épouse de Premier ministre.

Par la suite, Margaret fut aperçue en train de prendre un verre au *Plaza,* en fin de soirée, en compagnie de Yasmine et de Ron Wood, le guitariste des Rolling Stones; les "paparazzi" new-yorkais ne la lâchèrent pas d'une semelle.

Au cours d'une entrevue qu'il accorda quelques mois plus tard, à Londres, un peu avant la sortie de l'album que le groupe avait enregistré à Toronto, Jagger mit un point final à toute l'affaire quand il déclara: "C'est une fille gravement malade, qui cherche quelque chose. Elle l'a trouvé, mais pas avec moi. Je ne l'approcherais même pas du bout d'une perche", cita le *Evening Standard.*

Jagger ajouta, à propos de leur séjour au même hôtel, le *Harbour Castle:* "Ç'aurait vraiment été difficile de la mettre à la porte. Elle avait six gardes du corps, armés chacun de deux revolvers. Non merci, c'était une jeune femme qui savait ce qu'elle voulait..."

Durant la semaine mouvementée qu'elle passa à New York, Margaret donna plusieurs entrevues à la presse et, au cours de l'une d'elles, elle annonça: "Je n'ai plus du tout l'intention de me comporter de façon officielle. Mes raisons demeureront secrètes. Je crois que si les gens sont incapables de voir quel genre de situation, quel genre de vie j'ai dû accepter pendant six ans, s'ils ne peuvent comprendre pourquoi j'ai choisi de ne plus jamais vivre ainsi...

"J'ai l'intention d'employer mon temps à d'autres choses. C'est peut-être égoïste, mais j'estime que toute femme, tout être humain, a le droit, à un moment de son existence, de se montrer un peu égoïste. De manifester une certaine complaisance envers ses intérêts personnels.

"J'ai tendance à parler avec franchise et sincérité, et je dois me retenir d'agir ainsi.

"Je suis, généralement, tellement en colère contre les gens qui sont si impersonnels, si curieux et grossiers, qu'il me serait impossible de partager quoi que ce soit avec eux.

"Je considère que les épouses de politiciens sont soumises à des pressions très fortes. Et nous sommes obligées de nous plier aux conventions. De faire des choses qu'on trouve désagréables. D'autres qui sont ennuyeuses. Et devoir faire certaines choses qu'on considère comme une insulte à sa propre intégrité, cela dépasse réellement la mesure."

Pour ce qui est du genre de vie que Margaret avait mené pendant six ans, bien des épouses canadiennes auraient volontiers changé de place avec elle. Car la plupart des mères de trois jeunes enfants n'ont ni domestiques ni gouvernantes pour les aider, vingt-quatre heures sur vingt-quatre, à s'occuper d'eux. Et si elles travaillent, elles ne peuvent, bien souvent, même pas trouver quelqu'un à qui les confier. En outre, jamais la majorité des femmes n'auront l'occasion comme Margaret, en tant qu'épouse de Pierre, de voyager en première classe à travers le monde, tous frais payés, et de rencontrer des chefs d'Etat. Elle disposait d'un chalet au lac Harrington, faisait du ski en Colombie-Britannique ou allait se faire bronzer en Floride ou dans les Caraïbes. Il y avait aussi les croisières sur le yacht de l'Aga Khan et les escapades au Japon. Elle ne pouvait donc pas s'attendre à ce que le public en général, et surtout les femmes ordinaires, éprouvent de la compassion pour son "engagement".

Pendant qu'elle s'amusait à New York, Pierre était de retour à la Chambre des communes pour répondre à des questions sur la fin du contrôle des prix et des salaires, les conditions de travail et le programme anti-inflation.

Simultanément, d'autres questions étaient soulevées en dehors de la Chambre, qui, toutes, portaient sur Margaret. Pendant sa conférence de presse hebdomadaire du mardi, Pierre fit une mise au point: "Je pense que si elle assiste à un concert rock très couru, elle doit s'attendre à ce qu'on la remarque et écrive sur elle. Je n'ai pas à me plaindre de ça."

Un peu plus tard, il ajouta: "Je considère que quand elle fait des choses publiquement elle doit savoir qu'on en parlera dans les journaux; c'est peut-être pour cette raison qu'elle annule bon nombre de ses engagements."

James Callaghan et son épouse devaient arriver à Ottawa vers la fin de cette même semaine pour une visite officielle et à titre d'invités personnels des Trudeau. Mais, le samedi matin, alors qu'un dîner officiel devait avoir lieu dans la soirée au lac Harrington, Margaret se trouvait toujours dans le luxueux appartement de Yasmine Khan, à Manhattan.

Nul ne savait si elle avait l'intention de rentrer au Canada pour agir comme hôtesse. La veille, elle avait affirmé, au cours d'une entrevue: "Jamais plus je ne remplirai le rôle que j'ai tenu jusqu'ici. Je suis à l'aube d'une vie nouvelle et j'ai décidé de faire ce que je veux, c'est-à-dire de travailler, de devenir photographe professionnelle. J'en ai plus qu'assez de rester debout à serrer des mains en souriant. Tout ça, c'est fini, maintenant. Je vais me consacrer entièrement à mon travail."

Toujours à New York, elle confia à un autre reporter: "Je crains fort que Pierre ne soit obligé de recevoir tout seul monsieur Callaghan et qu'il n'en soit pas enchanté."

Pendant un moment, tout le monde crut que Pierre allait faire preuve d'autorité. Les journaux titraient: "Trudeau exige que sa femme revienne sur-le-champ". Mais, de retour à

Ottawa, celui-ci laissa savoir ce qu'il pensait de la situation quand il déclara avec résignation: "J'espère qu'elle n'annulera pas cet engagement-ci, mais elle a le droit de le faire."

Margaret se prévalut du "privilège" que lui reconnaissait Pierre et n'assista pas au dîner. Toutefois, vers la fin de l'après-midi, elle rentra au pays par *Air Canada,* ne précédant les Callaghan que de quelques heures. Elle portait d'immenses lunettes fumées. A peine eut-elle atterri que deux officiers de la Gendarmerie royale la firent monter dans une voiture officielle et la ramenèrent à toute vitesse à Ottawa. Une terrible dispute éclata entre Pierre et Margaret. Il lui dit qu'elle méritait une fessée et, du même souffle, lui pocha un oeil.

Doug Fisher, anciennement du Nouveau Parti démocratique, écrivit dans sa rubrique du *Toronto Sun,* le commentaire suivant: "Dans la soirée du 15 mars, le Premier ministre et son épouse se querellèrent au chalet du lac Harrington.

"Selon mes sources, madame Trudeau aurait ensuite raconté, à cinq reporters, deux adjoints de ministres et un universitaire — le plus souvent au téléphone — que son séjour à Toronto, sa présence à la séance d'enregistrement des Rolling Stones et son voyage à New York avaient été à l'origine de la dispute.

"Celle-ci prit fin avec un coup de poing dans l'oeil, d'époux à épouse. Madame Trudeau relata la scène à plusieurs interlocuteurs et leur montrait son oeil meurtri en ajoutant: "Vous voyez bien."

C'est à peu près au même moment que le Comité d'étude sur la violence dans le mariage, mis sur pied en Grande-Bretagne, publia son rapport dans lequel on pouvait lire: "Bien des hommes réfléchiraient davantage avant de brutaliser leurs femme s'ils croyaient vraiment qu'elles pourraient les quitter, ne serait-ce que temporairement."

Le rôle que Margaret avait à remplir à titre d'épouse de Premier ministre lui laissait tout de même une certaine liberté d'action. A cause de la définition on ne peut plus vague de son contenu, les tenantes du titre avant elle agissaient à leur guise, assistant aux banquets officiels ou les fuyant, collaborant à des organismes charitables ou se contentant de s'occuper de leur foyer. Aussi, maintenant que Margaret avait laissé ses tendances lui dicter son style de vie, il est probable que Tom Wolfe aurait fait d'elle un membre de la "Génération du Moi".

Durant les premiers mois de 1977, Maggie (comme la surnommait parfois irrespectueusement la presse canadienne) se conduisit comme jamais aucune de celles qui l'avaient précédée dans cette fonction n'aurait osé le faire. Dans le passé, les épouses de Premier ministre "savaient se tenir à leur place" et s'en contentaient. Elles n'avaient jamais eu la moindre influence sur le plan politique, à l'exception d'Olive Diefenbaker qui avait la réputation de savoir guider et conseiller son époux.

Il est certain, en tout cas, qu'elles ne se permirent jamais "de mener leur propre barque".

Mais, pour Margaret, sa rencontre avec les Rolling Stones et son voyage à New York s'étaient révélés une expérience ennivrante. La presse internationale lui avait accordé infiniment plus d'attention que les journaux de son propre pays. Les jours qu'elle passa à New York furent relativement heureux. Après qu'elle fut de retour à Ottawa, Werner Reitboeck déclara: "D'après ce que Margaret m'a raconté, elle adore New York. Et elle déteste vraiment participer à des activités officielles."

Un caricaturiste compara Margaret à Mary Hartman et fit un croquis où elle braquait un appareil photographique sur elle-même. Quand un ami d'Ottawa le lui montra, il paraît qu'elle trouva le dessin extraordinaire et rit de bon coeur.

Quelques jours après son retour de New York, Margaret assista à la représentation du ballet *Roméo et Juliette* au Centre national des arts, à Ottawa, en compagnie de Pierre. Tout le monde put contempler son oeil au beurre noir. Elle avait apporté son appareil et de nombreux rouleaux de pellicule. Mais au lieu de photographier les danseurs quand ils s'immobilisaient en équilibre et que l'éclairage était convenable, elle prit continuellement des clichés tout au long des deux heures que dura le spectacle. Avec comme résultat qu'après avoir passé presque toute une journée à développer ses films elle n'en tira qu'une ou deux "photos acceptables". Son apparition à la représentation mit fin aux suppositions sur les endroits où elle aurait pu se trouver. Pour le moment, les choses semblaient être revenues à la normale.

Mais un nouveau scandale éclata, à peine quatre jours plus tard. Cette fois, ce fut à la suite d'une entrevue qu'elle accorda au magazine *People* en échange d'un reportage photographique qu'il lui avait assigné. Elle découvrit alors que la facture était élevée.

La femme qui avait dit, un jour: "Je connais Pierre; il a horreur de me voir raconter des détails sur notre vie familiale", affirmait maintenant: "Si je n'ai pas envie de mettre un soutien-gorge, je ne le fais pas. Mais je ne montrerais jamais mes seins au cours d'une cérémonie officielle, j'aurais bien trop peur de voir les vieux messieurs être victimes d'une crise cardiaque."

L'entrevue se poursuivit dans la même veine: "Pierre aime que je me fasse belle et il est le plus fervent de mes admirateurs. Il a le corps d'un homme de vingt-cinq ans et ce qui lui plaît me plaît également. Je n'ai pas un seul négligé transparent, mais je porte généralement des jarretières et des bas. J'adore les enfiler, cela a quelque chose d'excitant."

Elle précisa ensuite qu'elle allait vivre à New York et qu'elle reviendrait régulièrement à Ottawa pour voir ses enfants.

Dès ce moment, il devint évident que leur union tirait à sa fin. Margaret suivit peut-être le conseil du Comité d'étude britannique sur la violence dans le mariage: elle s'en alla.

Chapitre 18

La séparation

Durant les premières années, le mariage des Trudeau avait été un véritable roman d'amour. Tous les éléments étaient réunis: la belle princesse, le prince charmant d'âge mûr, le château du 24 Sussex Drive.

On savait que le prince charmant, même s'il avait trente-deux ans de plus que sa fiancée, avait le corps d'un homme de vingt-cinq ans (puisque la princesse nous l'avait raconté). Cela importait peu que ses rares cheveux bruns s'éclaircissent de plus en plus ou qu'ils virent au gris, qu'il ait des poches sous les yeux ou que son front soit profondément sillonné de rides; tout cela aurait pu être corrigé en temps et lieu par le médecin de la cour, un chirurgien plasticien.

Mais ils n'auraient pas connu pour autant le bonheur conjugal. Il est très plausible que leur relation ait été perturbée par le schisme entre les Canadiens français et les Anglo-saxons, par le conflit prévisible entre un intellectuel et une personne qui se qualifiait elle-même de pseudo-intellectuelle, entre le réaliste et la rêveuse, l'assoiffé de pouvoir et la jeune fille qui éprouvait le besoin de laisser s'épanouir sa personnalité.

Il semblait évident que Margaret avait été "muselée" durant les premières années de son mariage. En 1972, à peine un an après avoir convolé en justes noces, elle n'avait été autorisée qu'à prononcer une centaine de mots devant un auditoire presque entièrement composé de femmes, lors de l'inauguration d'un centre d'art, à Toronto, au bénéfice de l'UNICEF. Le second événement marquant de l'année s'était produit lorsqu'une bande d'enfants turbulents, qui dévalaient les escaliers de pierre en sortant des Communes, avaient failli la renverser. Les petits essayaient d'attraper des ballons auxquels étaient attachés des bons qui leur permettaient d'obtenir gratuitement un livre canadien à leur librairie favorite.

Nora McCabe, journaliste au *Toronto Star,* rapporta que, à l'époque, pour Margaret, "s'occuper de ses affaires" se traduisait par "garde tes lèvres closes".

Lorsqu'on lui avait demandé pourquoi elle avait choisi de soutenir l'UNICEF, elle n'avait même pas pu répondre directement. Un porte-parole l'avait fait à sa place sans lui laisser le temps d'ouvrir la bouche: "C'est à cause de l'intérêt qu'elle éprouve pour le travail de l'UNICEF et pour tout ce qui se rapporte aux enfants."

Pareil incident ne pouvait satisfaire sur le plan intellectuel une jeune femme qui détenait un diplôme universitaire en sciences politiques et en philosophie. Durant ces années, la vie de Margaret se limita essentiellement à son foyer. Mais même dès le tout début, les liens du mariage étaient affaiblis par la carrière de Pierre qui était incroyablement exigeante. On avait évalué que le Premier ministre passait au minimum cinquante heures par semaine à son bureau et en consacrait une vingtaine d'autres à des activités officielles et à des réunions avec son équipe.

Quand Margaret voulut essayer de résoudre les problèmes qui menaçaient son mariage, elle se heurta à une difficulté particulière: l'écart qui existait entre l'idée assez vague qu'elle se faisait de son rôle d'épouse du Premier ministre et la conception, de toute évidence très limitée, que Pierre avait de ce même rôle et qui était d'ordre strictement sexuel: Margaret eut trois enfants pendant les quatre premières années de son mariage.

Parce qu'elle se sentait seule et exclue, son union avec Pierre a dû revêtir l'aspect d'un drame persistant, celui d'un abandon presque total.

Les pages suivantes montrent à quel point, pendant une semaine normale de travail, le temps du Premier ministre était morcelé.

Au début, Margaret accepta de vivre dans l'ombre de Pierre et se soumit à son désir de la voir rester à l'abri des regards du public. Mais, peu à peu, ce "purdah" pesa lourdement dans la balance quand elle envisagea d'entreprendre une carrière bien à elle, même si, manifestement, elle n'avait pas ressenti un tel besoin durant les premières années.

Qu'est-ce que Pierre pensait du mariage? Interviewé par Peter Desbarats, en 1976, il déclara: "Eh bien, c'est très difficile de vivre ensemble; le mariage, c'est, à moins de posséder une forte maturité... c'est une institution régressive. Parce qu'on grandit, on devient un adolescent, on est constamment soumis à l'autorité des parents, on doit obéir... pourquoi es-tu rentré si tard, et où étais-tu le week-end dernier, avec qui étais-tu, etc. Soudain, on sort de l'adolescence on s'est libéré de toutes ces contraintes, on n'a plus de comptes à rendre aux parents, on est un être libre et voilà qu'on se marie, et, bang, tout recommence."

On ignore comment Margaret a réagi devant cette déclaration de son mari. Mais il est fort possible qu'elle se soit sentie visée. Car, après tout, Trudeau était resté célibataire pendant de longues années; il ne venait pas de quitter la domination d'une famille pour les liens créés par le saint sacrement du mariage.

Quand, bien plus tard, on lui demanda son avis sur la nouvelle vie que Margaret menait à New York, il confia: "Si

Modèle d'une semaine de travail de Pierre Elliott Trudeau

Heure	*Lundi*	*Mardi*	*Mercredi*	*Jeudi*	*Vendredi*
9 h	Réunion du bureau du P.M.	Réunion du bureau du P.M.	Réunion du bureau du P.M.	Réunion du bureau du P.M.	Réunion du bureau du P.M.
9 h 45	Séance de travail		Séance de travail		Séance de travail
10 h		Comité du cabinet les Priorités Planification	P.M. Leabua Jonathan, du Lesotho	Réunion de tout le cabinet	
10 h 30					Réunion d'information avec Ivan Head Communes Période de question
11 h			Caucus libéral		
12 h	Abba Eban, d'Israël			Cérémonie du drapeau de l'ONU	Rencontre avec l'Association des Franco-Manitobains
12 h 30		Rencontre avec des écoliers de Montréal	Déjeuner avec le P.M. de l'Ile-du-Prince-Edouard, et MM. Marchand et Laing		Départ d'Ottawa pour Halifax

	Réunion d'information avec Ivan Head	Réunion d'information avec Ivan Head	Réunion d'information avec Ivan Head		
14 h	Période de questions	Période de questions	Période de questions	Période de questions	
15 h	Communes	Communes	Communes	Communes	
15 h 30	Séance de travail	Comité du cabinet sur les relations fédérales provinciales	Séance de travail	Séance de travail Jean-Luc Pépin	
17 h 30	Abba Eban, Marie Moreau (écrivain), David Lewis, Général Milroy, Mitchell Sharp		Marcel Cadieux	Dévoilement du portrait de L.B. Pearson	Réception à l'hôtel Lord Nelson
17 h 45		Dîner avec Jean Marchand et Roger Lemelin	Visite au Gouverneur général, Roland Michener		Dîner officiel Hôtel Lord Nelson
19 h	Dîner avec quelques parlementaires au 24 Sussex		Dîner d'Etat pour le P.M. Jonathan	Dîner avec les représentants des partis au 24 Sussex	
19 h 30		Etude du budget	Caucus du Parti libéral		

cela devait entraîner la rupture de la famille ou, pour dire les choses autrement, si j'estimais qu'en abandonnant la politique je pourrais rendre ma famille beaucoup plus heureuse, je crois que je réfléchirais très sérieusement à la question."

En pensant à ces six années, Margaret dit, un jour: "Bon nombre de gens étaient prêts à se servir de moi sans hésitation, ce qui m'a incitée à refuser énergiquement d'avoir des contacts avec eux. J'avais été séparée de mes amis, alors que je m'étais épanouie dans l'amitié. Je ne me lie pas facilement et les femmes à Ottawa ne sont pas de ma génération; elles n'ont pas vécu les mêmes expériences que moi."

La journée du mercredi résumait parfaitement la vie de Pierre. Le matin, il participait à un caucus du Parti libéral et, le soir, il rencontrait le représentant de la reine, le Gouverneur général. En outre, il recevait hebdomadairement des centaines de lettres auxquelles il fallait répondre et dont certaines demandaient un autographe ou même une photo. Bien entendu, le temps qu'il consacrait aux réunions et à son courrier réduisait d'autant celui qu'il pouvait passer chez lui.

En dépit de certaines opinions contraires, Margaret avait épousé un perfectionniste, un homme qui pouvait faire preuve d'autant de concentration pour répondre à une lettre d'un contribuable que pour étudier le nouveau budget de son gouvernement. Il n'avait pas appris à se dégager des pressions de son bureau et à déléguer quelques-unes de ses responsabilités. Il travaillait sans relâche toute la journée uniquement pour respecter ses engagements les plus immdédiats — et cela n'incluait pas sa femme et ses enfants.

Margaret avait dit, un jour, de son mari: "C'est une personne très, très disciplinée, très rationnelle. Il travaille énormément. Lui et moi sommes deux opposés parce que je suis spontanée et impulsive. Par contre, il est très raisonnable et réfléchi.

"Mais je ne pense pas que la réflexion mène, dans tous les cas, à la bonne solution."

Vers la fin de mars, Margaret partit pour New York pour poursuivre sa carrière comme photographe. Pierre et elle s'entendirent pour préparer un projet de séparation légale, mais aucun détail de cette entente ne fut révélé au public à ce moment-là.

"Pourquoi n'allez-vous pas voir *People* ou *Time* pour obtenir un contrat, suggéra un ami à Margaret; après tout, vous êtes encore l'épouse du Premier ministre et je suis sûr qu'ils sauteraient sur l'occasion." L'idée avait été lancée à la légère, presque comme une plaisanterie, mais Margaret la trouva séduisante.

Le lendemain matin, elle téléphona de l'appartement de Yasmine au directeur de la photographie, au magazine *People*. Au début, celui-ci parut un peu hésitant, mais il savait reconnaître une occasion intéressante. Bien des gens achèteraient la revue uniquement pour voir les photos de Margaret, surtout après l'entrevue émoustillante sur "les seins et les jarretières" qu'elle leur avait accordée quelques semaines plus tôt.

Ils déjeunèrent ensemble et il fut entendu qu'elle recevrait deux cents dollars par jour ou par page, selon ce qui la favoriserait davantage; c'était le tarif qui était fixé pour les pigistes. "Nous n'avons pas de traitements spéciaux pour les épouses de Premier ministre", dit le porte-parole de *People,* Louis Slovinsky. Margaret devrait illustrer, par ses photos, un article sur Duane Bobick, un boxeur poids-lourd qui fut, plus tard, battu par Mohammed Ali. Elle savait qu'il lui faudrait à tout prix présenter d'excellents clichés parce que la presse internationale les examinerait dans les moindres détails et les critiquerait. Mais, malgré son expérience limitée, elle s'estimait capable de mener sa tâche à bien.

Le magazine fit un énorme battage publicitaire autour de sa "primeur" et publia, dans le *New York Times,* une annonce qui remplissait une page entière et qui montrait Margaret en jeans, en chandail et avec des bottes. Le texte imprimé au verso se lisait comme suit: "Margaret Trudeau laisse tomber les fonctions de première dame (même le savant *New York Times* ignorait qu'elle n'était pas la première dame du Canada, titre réservé à l'épouse du représentant de la reine, le Gouverneur général) pour "un dernier voyage vers la liberté" à New York où elle espère travailler comme photographe professionnelle. "La fonction d'épouse de Premier ministre est d'un ennui sans nom."

De retour à Ottawa, un ami de Margaret feuilleta la revue *People*, mais les photos qu'elle avait prises de Bobick ne l'impressionnèrent nullement. Il les jugea "moyennes, pas du tout extraordinaires".

Quelques-uns des étudiants du collège Algonquin se demandèrent si le magazine *People* les aurait engagés s'ils en avaient fait la demande.

Margaret ne pouvait que se féliciter de ses photos; après tout, elle avait réussi à se faire publier dans un magazine qui avait un tirage hebdomadaire de plus de douze millions d'exemplaires. En outre, au cours des semaines précédentes, elle avait vainement tenté de photographier Liz Taylor dans sa nouvelle résidence, en Virginie. Liz l'avait invitée à venir prendre le thé, mais avait refusé de se laisser photographier par Margaret.

Celle-ci allait découvrir que ce type de refus était le lot de tout reporter photographe qui, ne faisant que débuter, n'avait pas encore de réputation bien assise. Cela arrivait même à des professionnels chevronnés.

Pendant ce temps, Pierre était revenu au "ranch Trudeau", à Ottawa, où il était assailli de questions sur son mariage. Il nia catégoriquement que celui-ci se soit soldé par un échec ce que les porte-parole de son bureau confirmèrent en déclarant qu'une séparation était "extrêmement improbable".

Quelqu'un demanda à Pierre s'il croyait que les activités de Margaret, qui faisaient les beaux jours des média, risquaient de nuire à sa réputation ou à celle de son gouvernement; il répondit: "Eh bien, c'est "non", et si c'était le cas, je ne m'en soucierais pas, et ce, parce que je n'aurais nullement l'intention d'intervenir. Si ses activités devaient me faire perdre quelques votes, alors je regrette, mais je ne demanderais pas à Margaret de ne plus aller à des concerts rock ou de ne plus rendre visite à ses amis à New York uniquement parce que des gens pourraient s'imaginer que son comportement est incorrect; pour ma part, je ne vois là aucun problème."

Il est une maxime chère à notre société: "les enfants passent avant tout". Elle est aussi inviolable que les lois sur l'inceste. Les gens ne sont pas tendres envers quelqu'un qui ne se conduirait pas comme une mère dévouée ou qui négligerait ses obligations familiales.

C'est pourquoi Margaret revint à Ottawa pour passer le week-end de Pâques avec ses trois fils, mais non avec son mari. Celui-ci avait d'autres projets et était sur le point d'aller faire du ski pendant dix jours dans les "Rockies", aux Etats-Unis; ce serait la première fois qu'il prendrait des vacances tout seul depuis son mariage.

Pierre et Margaret se rencontrèrent à l'aéroport de Uplands et discutèrent pendant environ une demi-heure, assis sur le siège arrière de la limousine officielle. Conscients qu'ils avaient besoin d'être complètement seuls, les fonctionnaires avaient confié les enfants à leur gouvernante qui les emmena visiter l'avion qui attendait. Même le chauffeur et les gardes du corps se firent invisibles.

Bien des questions sont restées sans réponse. Est-ce que Margaret s'excusa d'avoir plongé son mari dans l'embarras en s'exhibant avec Mick Jagger, ou était-ce avec Ron Wood?

Est-ce que Pierre Elliott Trudeau, Premier ministre du Canada, passa un savon à son épouse avec cette virulence qu'il avait si souvent utilisée en public?

Il est probable qu'ils en vinrent à une forme de compromis et qu'ils décidèrent de mettre décemment fin à leur mariage tumultueux et hors du commun.

On ne peut qu'exprimer des hypothèses. Pierre quitta la limousine, monta la passerelle en courant et prit place à bord de l'avion, sans même jeter un seul regard dans la direction de son épouse.

Aucun communiqué ne vint démentir le fait que, politiquement du moins, Pierre traversait une mauvaise passe à cause des récentes activités de Margaret et que seuls ses conseillers les plus intimes et ses amis continuaient de l'appuyer.

Margaret resta à Ottawa pour passer les fêtes de Pâques avec les autres hommes de sa vie: Justin, cinq ans; Sacha, trois ans; et Michel, un an.

Le week-end se déroula sans histoire. Vêtue d'un coupe-vent, de pantalons en velours côtelé et d'espadrilles, loin des lumières de Manhattan, Margaret parcourut la ville au volant de sa Vokswagen Rabbit brune, modèle "hatchback", (qu'elle avait surnommée la "Freemobile") et emmena les enfants se promener dans les jardins gouvernementaux. Elle déjeuna avec Dan Turner, un ami journaliste, dans une boîte hippie qui servait des hamburgers, dans le quartier (mal famé) du marché d'Ottawa, à une courte distance de la résidence officielle.

Le dimanche de Pâques, dans un geste qui fut perçu comme une provocation, eu égard aux convictions religieuses de son mari, elle assista avec les enfants à un service protestant. Compte tenu du fait que ceux-ci avaient été baptisés dans la religion catholique et qu'elle s'était elle-même convertie au catholicisme peu avant son mariage, son attitude était plutôt incongrue.

D'après les dernières rumeurs, qui se confirmèrent par la suite, les Trudeau avaient décidé de se séparer pendant trois mois, à titre d'essai.

Pendant que Margaret était à l'église, Pierre visitait Disneyland, en Californie, où il s'offrit le luxe de se faire photographier avec une hôtesse blonde qu'il entourait de son bras. "C'est tout aussi farfelu et irréel que la Chambre des communes, mais c'est beaucoup mieux organisé et cohérent", déclara-t-il à la blague. Mais son sourire s'effaça lorsqu'une journaliste lui demanda si la presse avait été injuste envers sa femme. "Oh! Jésus!" lâcha-t-il impatiemment. Et quand elle voulut lui poser une autre question, il l'interrompit sans ménagement: "Ne soyez pas si sérieuse. Votre dernière question m'a déplu et je ne répondrai pas aux autres."

Mais si Pierre avait effectué ce voyage, c'était parce que l'université de Californie l'avait invité comme conférencier à l'occasion de la cérémonie du "Charter Day" qui devait avoir lieu au campus de Berkeley. Et, durant tout son séjour, il lui fut impossible d'échapper aux questions sur son mariage. Elles commencèrent dès son arrivée à l'élégant *Hôtel Fairmount,* à San Francisco.

"Hé! Pierre, où est Margaret?" lui cria le portier. "Ce n'est pas de vos foutues affaires", grogna-til en se dirigeant vers le vestibule de l'établissement.

Tandis que Pierre poursuivait son voyage en Californie sans cesser de pester, Margaret avait quitté Ottawa pour Boston avec ses trois enfants. A Toronto où il leur fallut changer d'avion, elle ne desserra pas les lèvres devant la presse. Un employé d'*Air Canada* confia: "On nous a ordonné de ne rien dire sur son voyage ou sa destination, et même la terrasse qui est habituellement ouverte au public a été fermée à cause de ce départ. Tout se passe dans la plus grande discrétion."

Margaret fut accueillie à l'aéroport international de Logan, à Boston, par sa soeur Rosalind qui avait loué une maison dans la banlieue de Winchester. C'est là que la famille Sinclair se réunit pour élaborer une stratégie afin soit de sauvegarder soit de dissoudre le mariage chancelant de Margaret. La réunion dura trois jours. Tout semblait annoncer une rupture. Quelqu'un remarqua que Margaret ne portait pas son alliance.

A la fin de la semaine, Margaret et les enfants repartirent pour Toronto d'où ils devaient ensuite regagner Ottawa. Ainsi qu'elle en avait pris l'habitude, elle faussa compagnie à tout le monde à l'aéroport international de Toronto. Bien qu'elle eût pris des réservations pour le vol de dix-sept heures trente en direction de la capitale, seuls ses bagages arrivèrent à Ottawa. Les enfants partirent pour Vancouver et elle resta à Toronto. On apprit, par la suite, qu'elle y avait rendez-vous avec Doris

Anderson, la directrice de *Châtelaine,* pour discuter d'un éventuel engagement.

Les média ne laissaient pas d'être étonnés tandis que la population se sentait déconcertée de voir à quel rythme les Trudeau parcouraient l'Amérique en tous sens. Tout le monde ne pensait qu'à une seule chose: allaient-ils se séparer ou se réconcilier?

La rupture prit forme rapidement et sans heurt. Le 27 mai 1977, le bureau du Premier ministre publia le communiqué suivant: "Pierre et Margaret Trudeau annoncent que, pour respecter le désir de Margaret, ils vont désormais vivre séparément.

"Margaret renonce à tous ses privilèges en tant qu'épouse du Premier ministre et souhaite mettre fin à son mariage pour poursuivre une carrière indépendante. La garde de leurs trois fils sera confiée à Pierre et Margaret pourra les voir librement. Pierre se plie avec regret à la décision de Margaret, et tous deux souhaitent que leurs relations s'améliorent à la suite de cette séparation."

Chapitre 19

De quoi demain sera-t-il fait?

La vie turbulente et provocante de Margaret, animée par son goût pour la rébellion, prit une nouvelle orientation en décembre 1977. Elle quitta New York et atterrit à Montréal.

Elle avait signé un contrat avec le producteur Alexis Kanner qui lui avait réservé un premier rôle dans son prochain film *Kings and Desperate Men,* dont le budget était de $1,2 millions de dollars. Son partenaire serait Patrick McGoohan, vedette de la série télévisée *Rafferty*.

Selon le scénario, un groupe terroriste occupait une station radiophonique pour interpréter sur les ondes un simulacre de procès, pendant lequel il s'en prenait à un juge et à la société en général. Margaret devait interpréter le rôle de l'épouse d'un annonceur parce que, comme l'expliqua Kanner, "elle a énormément de dignité et que c'est là une qualité indispensable pour le rôle qu'elle aura à jouer".

Même si cette excursion de Margaret dans le monde imaginaire du cinéma consistait, une fois de plus, à se faire voir du grand public — et que, selon beaucoup, son attitude dans la vie réelle manquait définitivement de "dignité" — on semblait s'approcher davantage de la parodie ou de la comédie.

Il est encore trop tôt pour savoir si cette production canadienne, financée par des capitaux également canadiens, propulsera Margaret au firmament des vedettes.

Quand Peter Gzowski l'interviewa en janvier 1977, dans le cadre de l'émission télévisée du réseau anglais de Radio-Canada *Ninety Minutes Live,* Margaret admit avoir échoué dans bon nombre de ses précédentes tentatives. Elle expliqua que la transposition de ses rêves dans la réalité avait, encore une fois, adopté une nouvelle forme.

Puis, comme si elle avait voulu justifier cet ultime changement dans ses plans, elle précisa: "J'étais sur le point de me lancer très sérieusement dans le reportage photographique et de faire une émission spéciale pour la télévision. Mais tous ces rêves n'ont simplement pas vu le jour, alors, un beau matin, j'ai décidé de faire ce que je voulais, et c'était d'être comédienne. Je suis repartie pour New York où je me suis inscrite dans une école d'art dramatique."

Margaret avait toujours laissé percer son ressentiment envers les média et leur imputait la responsabilité de son échec dans la carrière conjointe de photographe et d'animatrice à la télévision qu'elle aurait voulu embrasser. "J'étais devenue quelqu'un de déconsidéré, pour qui on n'avait pas de respect", reconnut-elle.

Simultanément, elle révéla qu'elle avait besoin d'une certaine forme de sécurité: "J'aurais bien voulu bâtir mon nid quelque part, mais pas à New York; c'est seulement un endroit formidable pour y séjourner un temps. Je vais me louer un appartement à Montréal qui, par train, n'est qu'à deux heures des enfants."

En janvier 1978, Douglas Fisher, chroniqueur politique de longue date au *Toronto Sun,* prédit que, à son avis, Margaret participerait aux prochaines élections fédérales (qui, croyait-on, auraient lieu plus tard, dans le courant de l'année): "Elle vole vers les projecteurs comme l'eau court vers le bas de la pente." Mais il ne précisa pas si elle se présenterait comme candidate ou travaillerait dans les coulisses.

Quant à Pierre, il semblait complètement indifférent aux diverses professions de Margaret. Tandis qu'elle faisait un peu de photographie, interviewait des personnalités à la télévision et se lançait dans le cinéma, il avait fermement l'intention de requérir un nouveau mandat comme Premier ministre. Il savait qu'il lui faudrait, pour cela, obtenir un solide vote de confiance de la part de l'électorat canadien. Et il savait, tout aussi bien, que sa séparation et les rumeurs d'un prochain divorce ne l'aidaient en rien.

Sans rien laisser paraître de ses sentiments envers cette bizarre épouse qui avait violé l'étiquette à un point tel qu'il lui serait difficile de le lui pardonner, il allait tenter de rester le chef de la nation.

Margaret faisait le tour des discothèques de New York et Pierre essayait de réconquérir sa réputation de célibataire à la page. On l'avait vu fréquemment en compagnie d'une blonde de trente-six ans, divorcée, actrice et danseuse. Elle s'appelait Sandra O'Neal et il l'avait rencontrée en juillet 1977 dans un théâtre-club d'Ottawa. Si elle pouvait prétendre à la célébrité, c'était à cause de ses jambes spectaculaires, en principe les plus longues du monde. Alexander Walker écrivit, dans le *Evening Standard* de Londres, que "Margaret vit dans un monde de fantaisie qu'elle s'est inventé et qui est infiniment plus séduisant que l'univers politique de son mari. (...) La vérité, telle que je la conçois, c'est que Margaret Trudeau est surtout une pathétique victime d'un mal qui frappe la classe des possédants et est particulière à notre époque. Je veux parler de cet attrait insidieux qu'exercent les gens qui ont simplement du prestige sur ceux qui détiennent le vrai pouvoir."

Aujourd'hui, les journalistes, comme Eugenia Sheppard, n'arrêtent pas de parler de Margaret et les tabloïds newyorkais rapportent régulièrement ses faits et gestes. Les rédacteurs du magazine *People* l'ont choisie parmi "les vingt-cinq personnalités les plus "mystérieuses" de 1977".

Une chose, en tout cas, est sûre: Margaret est attirée par la puissance et la gloire. Elle a prouvé, en recherchant l'une et l'autre, qu'elle aussi était dotée d'un charisme assez particulier; elle a peut-être perdu son royaume, mais elle possède toujours la puissance et la gloire.

Achevé d'imprimer sur les presses de
L'IMPRIMERIE ELECTRA*
pour
LES ÉDITIONS DE L'HOMME LTÉE
*Division du groupe Sogides Ltée

Imprimé au Canada/Printed in Canada

Ouvrages parus chez les Éditeurs du groupe Sogides

Ouvrages parus aux ÉDITIONS DE L'HOMME

ART CULINAIRE

Art d'apprêter les restes (L'), S. Lapointe,
Art de la table (L'), M. du Coffre,
Art de vivre en bonne santé (L'), Dr W. Leblond,
Boîte à lunch (La), L. Lagacé,
101 omelettes, M. Claude,
Cocktails de Jacques Normand (Les), J. Normand,
Congélation (La), S. Lapointe,
Conserves (Les), Soeur Berthe,
Cuisine chinoise (La), L. Gervais,
Cuisine de maman Lapointe (La), S. Lapointe,
Cuisine de Pol Martin (La), Pol Martin,
Cuisine des 4 saisons (La), Mme Hélène Durand-LaRoche,
Cuisine en plein air, H. Doucet,
Cuisine française pour Canadiens, R. Montigny,
Cuisine italienne (La), Di Tomasso,
Diététique dans la vie quotidienne, L. Lagacé,
En cuisinant de 5 à 6, J. Huot,
Fondues et flambées de maman Lapointe, S. Lapointe,
Fruits (Les), J. Goode,
Grande Cuisine au Pernod (La), S. Lapointe,
Hors-d'oeuvre, salades et buffets froids, L. Dubois,
Légumes (Les), J. Goode,
Madame reçoit, H.D. LaRoche,
Mangez bien et rajeunissez, R. Barbeau,
Poissons et fruits de mer, Soeur Berthe,
Recettes à la bière des grandes cuisines Molson, M.L. Beaulieu,
Recettes au "blender", J. Huot,
Recettes de gibier, S. Lapointe,
Recettes de Juliette (Les), J. Huot,
Recettes de maman Lapointe, S. Lapointe,
Régimes pour maigrir, M.J. Beaudoin,
Tous les secrets de l'alimentation, M.J. Beaudoin,
Vin (Le), P. Petel,
Vins, cocktails et spiritueux, G. Cloutier,
Vos vedettes et leurs recettes, G. Dufour et G. Poirier,
Y'a du soleil dans votre assiette, Georget-Berval-Gignac,

DOCUMENTS, BIOGRAPHIE

Architecture traditionnelle au Québec (L'), Y. Laframboise,
Art traditionnel au Québec (L'), Lessard et Marquis,
Artisanat québécois 1. Les bois et les textiles, C. Simard,
Artisanat québécois 2. Les arts du feu, C. Simard,
Acadiens (Les), E. Leblanc,
Bien-pensants (Les), P. Berton,
Ce combat qui n'en finit plus, A. Stanké,-J.L. Morgan,

Charlebois, qui es-tu?, B. L'Herbier,
Comité (Le), M. et P. Thyraud de Vosjoli,
Des hommes qui bâtissent le Québec, collaboration,
Drogues, J. Durocher,
Epaves du Saint-Laurent (Les), J. Lafrance,
Ermite (L'), L. Rampa,
Fabuleux Onassis (Le), C. Cafarakis,
Félix Leclerc, J.P. Sylvain,
Filière canadienne (La), J.-P. Charbonneau,
Francois Mauriac, F. Seguin,
Greffes du coeur (Les), collaboration,
Han Suyin, F. Seguin,
Hippies (Les), Time-coll.,
Imprévisible M. Houde (L'), C. Renaud,
Insolences du Frère Untel, F. Untel,
J'aime encore mieux le jus de betteraves, A. Stanké,
Jean Rostand, F. Seguin,
Juliette Béliveau, D. Martineau,
Lamia, P.T. de Vosjoli,
Louis Aragon, F. Seguin,
Magadan, M. Solomon,
Maison traditionnelle au Québec (La), M. Lessard, G. Vilandré,
Maîtresse (La), James et Kedgley,
Mammifères de mon pays, Duchesnay-Dumais,
Masques et visages du spiritualisme contemporain, J. Evola,
Michel Simon, F. Seguin,
Michèle Richard raconte Michèle Richard, M. Richard,
Mon calvaire roumain, M. Solomon,
Mozart, raconté en 50 chefs-d'oeuvre, P. Roussel,
Nationalisation de l'électricité (La), P. Sauriol,
Napoléon vu par Guillemin, H. Guillemin,
Objets familiers de nos ancêtres, L. Vermette, N. Genêt, L. Décarie-Audet,
On veut savoir, (4 t.), L. Trépanier,
Option Québec, R. Lévesque,
Pour entretenir la flamme, L. Rampa,
Pour une radio civilisée, G. Proulx,
Prague, l'été des tanks, collaboration,
Premiers sur la lune, Armstrong-Aldrin-Collins,
Prisonniers à l'Oflag 79, P. Vallée,
Prostitution à Montréal (La), T. Limoges,
Provencher, le dernier des coureurs des bois, P. Provencher,
Québec 1800, W.H. Bartlett,
Rage des goof-balls (La), A. Stanké, M.J. Beaudoin,
Rescapée de l'enfer nazi, R. Charrier,
Révolte contre le monde moderne, J. Evola,
Riopelle, G. Robert,
Struma (Le), M. Solomon,
Terrorisme québécois (Le), Dr G. Morf,
Ti-blanc, mouton noir, R. Laplante,
Treizième chandelle (La), L. Rampa,
Trois vies de Pearson (Les), Poliquin-Beal,
Trudeau, le paradoxe, A. Westell,
Un peuple oui, une peuplade jamais! J. Lévesque,
Un Yankee au Canada, A. Thério,
Une culture appelée québécoise, G. Turi,
Vizzini, S. Vizzini,
Vrai visage de Duplessis (Le), P. Laporte,

ENCYCLOPEDIES

Encyclopédie de la maison québécoise, Lessard et Marquis,
Encyclopédie des antiquités du Québec, Lessard et Marquis,
Encyclopédie des oiseaux du Québec, W. Earl Godfrey,
Encyclopédie du jardinier horticulteur, W.H. Perron,
Encyclopédie du Québec, Vol. I et Vol. II, L. Landry,

ESTHETIQUE ET VIE MODERNE

Cellulite (La), Dr G.J. Léonard,
Chirurgie plastique et esthétique (La), Dr A. Genest,
Embellissez votre corps, J. Ghedin,
Embellissez votre visage, J. Ghedin,
Etiquette du mariage, Fortin-Jacques, Farley,
Exercices pour rester jeune, T. Sekely,
Exercices pour toi et moi, J. Dussault-Corbeil,
Face-lifting par l'exercice (Le), S.M. Rungé,
Femme après 30 ans (La), N. Germain,
Femme émancipée (La), N. Germain et L. Desjardins,
Leçons de beauté, E. Serei,
Médecine esthétique (La), Dr G. Lanctôt,
Savoir se maquiller, J. Ghedin,
Savoir-vivre, N. Germain,
Savoir-vivre d'aujourd'hui (Le), M.F. Jacques,
Sein (Le), collaboration,
Soignez votre personnalité, messieurs, E. Serei,
Vos cheveux, J. Ghedin,
Vos dents, Archambault-Déom,

LINGUISTIQUE

Améliorez votre français, J. Laurin,
Anglais par la méthode choc (L'), J.L. Morgan,
Corrigeons nos anglicismes, J. Laurin,
Dictionnaire en 5 langues, L. Stanké,
Petit dictionnaire du joual au français, A. Turenne,
Savoir parler, R.S. Catta,
Verbes (Les), J. Laurin,

LITTERATURE

Amour, police et morgue, J.M. Laporte,
Bigaouette, R. Lévesque,
Bousille et les justes, G. Gélinas,
Berger (Les), M. Cabay-Marin, Ed. TM,
Candy, Southern & Hoffenberg,
Cent pas dans ma tête (Les), P. Dudan,
Commettants de Caridad (Les), Y. Thériault,
Des bois, des champs, des bêtes, J.C. Harvey,
Ecrits de la Taverne Royal, collaboration,
Exodus U.K., R. Rohmer,
Exxoneration, R. Rohmer,
Homme qui va (L'), J.C. Harvey,
J'parle tout seul quand j'en narrache, E. Coderre,
Malheur a pas des bons yeux (Le), R. Lévesque,
Marche ou crève Carignan, R. Hollier,
Mauvais bergers (Les), A.E. Caron,
Mes anges sont des diables, J. de Roussan,
Mon 29e meurtre, Joey,
Montréalités, A. Stanké,
Mort attendra (La), A. Malavoy,
Mort d'eau (La), Y. Thériault,
Ni queue, ni tête, M.C. Brault,
Pays voilés, existences, M.C. Blais,
Pomme de pin, L.P. Dlamini,
Printemps qui pleure (Le), A. Thério,
Propos du timide (Les), A. Brie,
Séjour à Moscou, Y. Thériault,
Tit-Coq, G. Gélinas,
Toges, bistouris, matraques et soutanes, collaboration,
Ultimatum, R. Rohmer,
Un simple soldat, M. Dubé,
Valérie, Y. Thériault,
Vertige du dégoût (Le), E.P. Morin,

LIVRES PRATIQUES – LOISIRS

Aérobix, Dr P. Gravel,
Alimentation pour futures mamans, T. Sekely et R. Gougeon,
Améliorons notre bridge, C. Durand,
Apprenez la photographie avec Antoine Desilets, A. Desilets,

Arbres, les arbustes, les haies (Les), P. Pouliot,
Armes de chasse (Les), Y. Jarrettie,
Astrologie et l'amour (L'), T. King,
Bougies (Les), W. Schutz,
Bricolage (Le), J.M. Doré,
Bricolage au féminin (Le), J.-M. Doré,
Bridge (Le), V. Beaulieu,
Camping et caravaning, J. Vic et R. Savoie,
Caractères par l'interprétation des visages, (Les), L. Stanké,
Ciné-guide, A. Lafrance,
Chaînes stéréophoniques (Les), G. Poirier,
Cinquante et une chansons à répondre, P. Daigneault,
Comment amuser nos enfants, L. Stanké,
Comment tirer le maximum d'une mini-calculatrice, H. Mullish,
Conseils à ceux qui veulent bâtir, A. Poulin,
Conseils aux inventeurs, R.A. Robic,
Couture et tricot, M.H. Berthouin,
Dictionnaire des mots croisés, noms propres, collaboration,
Dictionnaire des mots croisés, noms communs, P. Lasnier,
Fins de partie aux dames, H. Tranquille, G. Lefebvre,
Fléché (Le), L. Lavigne et F. Bourret,
Fourrure (La), C. Labelle,
Guide complet de la couture (Le), L. Chartier, **4.00**
Guide de la secrétaire, M. G. Simpson,
Hatha-yoga pour tous, S. Piuze,
8/Super 8/16, A. Lafrance,
Hypnotisme (L'), J. Manolesco,
Information Voyage, R. Viau et J. Daunais, Ed. TM,
Interprétez vos rêves, L. Stanké,
J'installe mon équipement stéréo, T. I et II, J.M. Doré,
Jardinage (Le), P. Pouliot,
Je décore avec des fleurs, M. Bassili,
Je développe mes photos, A. Desilets,
Je prends des photos, A. Desilets,
Jeux de cartes, G. F. Hervey,
Jeux de société, L. Stanké,
Lignes de la main (Les), L. Stanké,
Magie et tours de passe-passe, I. Adair,
Massage (Le), B. Scott,
Météo (La), A. Ouellet,
Nature et l'artisanat (La), P. Roy,
Noeuds (Les), G.R. Shaw,
Origami I, R. Harbin,
Origami II, R. Harbin,
Ouverture aux échecs (L'), C. Coudari,
Parties courtes aux échecs, H. Tranquille,
Petit manuel de la femme au travail, L. Cardinal,
Photo-guide, A. Desilets,
Plantes d'intérieur (Les), P. Pouliot,
Poids et mesures, calcul rapide, L. Stanké,
Tapisserie (La), T.-M. Perrier, N.-B. Langlois,
Taxidermie (La), J. Labrie,
Technique de la photo, A. Desilets,
Techniques du jardinage (Les), P. Pouliot,
Tenir maison, F.G. Smet,
Tricot (Le), F. Vandelac,
Vive la compagnie, P. Daigneault,
Vivre, c'est vendre, J.M. Chaput,
Voir clair aux dames, H. Tranquille,
Voir clair aux échecs, H. Tranquille et G. Lefebvre,
Votre avenir par les cartes, L. Stanké,
Votre discothèque, P. Roussel,
Votre pelouse, P. Pouliot,

LE MONDE DES AFFAIRES ET LA LOI

ABC du marketing (L'), A. Dahamni,
Bourse (La), A. Lambert,
Budget (Le), collaboration,
Ce qu'en pense le notaire, Me A. Senay,
Connaissez-vous la loi? R. Millet,
Dactylographie (La), W. Lebel,
Dictionnaire de la loi (Le), R. Millet,
Dictionnaire des affaires (Le), W. Lebel,
Dictionnaire économique et financier, E. Lafond,
Divorce (Le), M. Champagne et Léger,
Guide de la finance (Le), B. Pharand,
Initiation au système métrique, L. Stanké,
Loi et vos droits (La), Me P.A. Marchand,
Savoir organiser, savoir décider, G. Lefebvre,
Secrétaire (Le/La) bilingue, W. Lebel,

PATOF

Cuisinons avec Patof, J. Desrosiers,
Patof raconte, J. Desrosiers,
Patofun, J. Desrosiers,

SANTE, PSYCHOLOGIE, EDUCATION

Activité émotionnelle (L'), P. Fletcher,
Allergies (Les), Dr P. Delorme,
Apprenez à connaître vos médicaments, R. Poitevin,
Caractères et tempéraments, C.-G. Sarrazin,
Comment animer un groupe, collaboration,
Comment nourrir son enfant, L. Lambert-Lagacé,
Comment vaincre la gêne et la timidité, R.S. Catta,
Communication et épanouissement personnel, L. Auger,
Complexes et psychanalyse, P. Valinieff,
Contact, L. et N. Zunin,
Contraception (La), Dr L. Gendron,
Cours de psychologie populaire, F. Cantin,
Dépression nerveuse (La), collaboration,
Développez votre personnalité, vous réussirez, S. Brind'Amour,
Douze premiers mois de mon enfant (Les), F. Caplan,
Dynamique des groupes, Aubry-Saint-Arnaud,
En attendant mon enfant, Y.P. Marchessault,
Femme enceinte (La), Dr R. Bradley,
Guérir sans risques, Dr E. Plisnier,
Guide des premiers soins, Dr J. Hartley,
Guide médical de mon médecin de famille, Dr M. Lauzon,
Langage de votre enfant (Le), C. Langevin,
Maladies psychosomatiques (Les), Dr R. Foisy,
Maman et son nouveau-né (La), T. Sekely,
Mathématiques modernes pour tous, G. Bourbonnais,
Méditation transcendantale (La), J. Forem,
Mieux vivre avec son enfant, D. Calvet,
Parents face à l'année scolaire (Les), collaboration,
Personne humaine (La), Y. Saint-Arnaud,
Pour bébé, le sein ou le biberon, Y. Pratte-Marchessault,
Pour vous future maman, T. Sekely,
15/20 ans, F. Tournier et P. Vincent,
Relaxation sensorielle (La), Dr P. Gravel,
S'aider soi-même, L. Auger, **4.00**
Soignez-vous par le vin, Dr E. A. Maury,
Volonté (La), l'attention, la mémoire, R. Tocquet,
Vos mains, miroir de la personnalité, P. Maby,
Votre personnalité, votre caractère, Y. Benoist-Morin,
Yoga, corps et pensée, B. Leclerq,
Yoga, santé totale pour tous, G. Lescouflar,

SEXOLOGIE

Adolescent veut savoir (L'), Dr L. Gendron,
Adolescente veut savoir (L'), Dr L. Gendron,
Amour après 50 ans (L'), Dr L. Gendron,
Couple sensuel (Le), Dr L. Gendron,
Déviations sexuelles (Les), Dr Y. Léger,
Femme et le sexe (La), Dr L. Gendron,
Helga, E. Bender,
Homme et l'art érotique (L'), Dr L. Gendron,
Madame est servie, Dr L. Gendron,
Maladies transmises par relations sexuelles, Dr L. Gendron,
Mariée veut savoir (La), Dr L. Gendron,
Ménopause (La), Dr L. Gendron,
Merveilleuse histoire de la naissance (La), Dr L. Gendron,
Qu'est-ce qu'un homme, Dr L. Gendron,
Qu'est-ce qu'une femme, Dr L. Gendron,
Quel est votre quotient psycho-sexuel? Dr L. Gendron,
Sexualité (La), Dr L. Gendron,
Teach-in sur la sexualité, Université de Montréal,
Yoga sexe, Dr L. Gendron et S. Piuze,

SPORTS (collection dirigée par Louis Arpin)

ABC du hockey (L'), H. Meeker,
Aikido, au-delà de l'agressivité, M. Di Villadorata,
Bicyclette (La), J. Blish,
Comment se sortir du trou au golf, Brien et Barrette,
Courses de chevaux (Les), Y. Leclerc,

Books published by HABITEX